Terapia Conductual Cognitiva

Una Guía Simple de la TCC para Superar la Ansiedad, los Pensamientos Intrusivos, la Preocupación y la Depresión junto Con Consejos Para Usar la Atención Plena

Tabla de Contenidos

Introducción

La terapia cognitiva-conductual (TCC) se ha convertido en uno de los mejores métodos de psicoterapia para tratar varios problemas de salud mental. Aunque es un método de tratamiento relativamente nuevo, ha ganado popularidad entre muchos expertos de todo el mundo. Es importante tener en cuenta que la TCC (terapia del comportamiento cognoscitivo) no elimina los problemas; en cambio, ayuda a la gente con enfermedades mentales leves a graves a hacer frente y afrontar sus problemas de forma más eficaz.

Este método de psicoterapia se basa en cambiar y modificar la forma en que se comporta. Este libro tiene como objetivo crear conciencia sobre la TCC, profundizando para proporcionarle los mecanismos de acción y mostrándole el funcionamiento interno de lo que es la TCC.

Una de las cosas discutidas es la historia de TCC, que le proporcionará información válida mientras explora los diversos pasos involucrados en el desarrollo de TCC.

Otro factor esencial explorado es el papel de los pensamientos negativos en la salud mental. Lo que pensamos sobre una situación en particular afecta cómo la vemos, cómo la percibimos, cómo respondemos a ella y nuestro comportamiento hacia ella.

Exploraremos el origen de los pensamientos negativos y cómo un patrón específico de pensamiento afecta nuestras reacciones y respuestas.

Además, podemos ver cómo es una sesión típica de TCC y el papel del terapeuta para ayudar a las personas con problemas de salud mental. La TCC es una terapia que depende de una estructura particular; se diferencia de otros tratamientos en la construcción y el tiempo necesario para el procedimiento. Además, un factor esencial que diferencia la TCC de otros métodos de psicoterapia es la relación entre el terapeuta y el paciente.

La TCC es una terapia orientada a objetivos, por lo que es más adecuada para problemas de salud mental que se pueden dividir en objetivos.

La identificación de los problemas de salud mental es fundamental, ya que le ayuda a tratarlos más rápido y con mejores resultados. El reconocimiento de varios trastornos de salud como depresión, ansiedad, esquizofrenia, ataques de pánico, preocupación excesiva y otras enfermedades de salud mental se logra mediante la observación de los diversos síntomas. Ser capaz de identificar los síntomas de estos problemas de salud mental es el primer paso hacia el tratamiento. Muchos de estos problemas de salud mental tienen señales y síntomas similares, por lo que es esencial buscar la ayuda de un experto para reconocer el problema de salud en particular que podría estar enfrentando.

El establecimiento de objetivos es una parte esencial y fundamental de la TCC. No podemos exagerar la importancia del establecimiento de objetivos porque este es uno de los primeros requisitos en el tratamiento de la TCC. El establecimiento de objetivos en la TCC tiene un mecanismo que se logra solo siguiendo el enfoque correcto. En el Capítulo Tres aprenderá a establecer metas realistas y alcanzables.

La ansiedad y la preocupación son problemas de salud mental prevalentes en todo el mundo. El tratamiento con la TCC para la ansiedad y el estrés consiste en hacer las preguntas adecuadas y poder evaluarse correctamente. Con la ayuda de la TCC, podrá identificar patrones de pensamiento negativos que a menudo conducen a la ansiedad y la preocupación y desafiarlos reemplazándolos por otros más realistas. En el tratamiento de los trastornos de ansiedad y estrés, usted y su terapeuta trabajarán juntos para elaborar varias asignaciones o tareas que le ayudarán a aplicar todo lo aprendido en las sesiones de terapia.

La depresión es otra enfermedad importante de salud mental que hoy afecta a mucha gente. Ahora es una característica común de la vida moderna y está a punto de convertirse en uno de los problemas de salud más comunes de nuestro tiempo. Existen varios tipos de depresión, e identificar el tipo que puede estar experimentando requiere asistencia profesional. El tratamiento con la TCC para la depresión a menudo sigue el típico plan estructurado orientado a objetivos que es característico de la TCC. A diferencia de otras psicoterapias para la depresión, la TCC ofrece un tiempo de terapia más corto, con menos posibilidades de recaída. Las diversas herramientas y técnicas derivadas de las sesiones de TCC se pueden utilizar mucho después de que haya completado las sesiones de terapia. Los tratamientos siguen siendo viables y aplicables durante toda su vida y reducen el riesgo de recaídas.

La relación entre el abuso de sustancias y la depresión es un tema común cuando se trata de enfermedades mentales. Mucha gente que tiene depresión es susceptible de desarrollar problemas de adicción; este diagnóstico se conoce como diagnóstico dual.

El estrés relacionado con el trabajo es una preocupación importante, ya que un número cada vez mayor de trabajadores experimentan estrés relacionado con el trabajo a un ritmo alarmante. Debido a la creciente presión para lograr más en menos tiempo, mucha gente a menudo termina sintiéndose como si no hubiera logrado sus logros, lo que constituye una fuente importante de estrés relacionado con el trabajo. Brindamos información sobre los desencadenantes, los síntomas y el efecto a largo plazo del estrés laboral. El tratamiento con la TCC para el estrés en el lugar de trabajo ha sido eficaz para ayudar a mucha gente a idear diferentes estrategias para manejarlo de manera eficiente. la TCC le ayuda a elaborar un plan realista para lidiar con situaciones estresantes en el trabajo, ayudándole a establecer prioridades, realizar un seguimiento de su estado de ánimo y sentirse menos abrumado/a en el trabajo.

Los pensamientos intrusivos son la causa principal de muchos problemas de salud mental como ansiedad, depresión, trastorno obsesivo-compulsivo (TOC) y otros. El tratamiento con TCC para pensamientos intrusivos le ayudará a identificar estos pensamientos y los desencadenantes responsables de ellos.

La relación entre la TCC y la atención plena se analiza con gran detalle. Las historias y similitudes entre la atención plena y la TCC le ayudarán a comprender su utilidad para abordar muchos problemas de salud mental.

La combinación de la TCC y la atención plena ha producido resultados que hacen de MBCT (por sus siglas en inglés, Terapia cognitiva basada en la atención plena) una herramienta invaluable para tratar problemas de salud mental como la depresión y la ansiedad. La MBCT aplica los principios de la TCC y la atención plena. Si está cansado/a de varios otros métodos de tratamiento que simplemente no le han funcionado y está buscando algo más refrescante con una mayor tasa de éxito, entonces la TCC podría ser para usted.

Capítulo Uno: ¿Por qué Utilizar la TCC?

La terapia cognitivo-conductual (TCC) tiene como objetivo mejorar su estado mental y emocional general con el uso de un enfoque práctico. Le ayuda a comprender las distorsiones cognitivas complejas y desafiantes en sus pensamientos, sentimientos y actitudes para mejorar la capacidad de funcionamiento y la calidad de vida en general. Inicialmente fue diseñada para tratar la depresión y otras enfermedades mentales, pero ahora se está aplicando ampliamente en el tratamiento de varios problemas psicógenos que van desde trastornos del sueño hasta abuso de drogas y alcohol, depresión, enfermedades mentales graves, trastornos alimentarios y ansiedad. Al prestar atención a las creencias, actitudes y estilos de vida, le ayuda a identificar los patrones de pensamiento responsables del comportamiento ineficaz y los estados de ánimo negativos. La identificación de estos patrones mejora su control emocional y le ayuda a desarrollar estrategias de afrontamiento contra las dificultades emocionales que conducen a la depresión.

La TCC también presenta una ventaja esencial sobre varios otros métodos de tratamiento; es un tratamiento a corto plazo en comparación con otros. Para la mayoría de los problemas emocionales, tiene un plan de tratamiento que varía entre cinco y diez meses. Cuenta con una menor cantidad de sesiones por semana, cada una con una duración de aproximadamente 60 minutos. Durante las sesiones, trabaja con el terapeuta para identificar los desencadenantes psicológicos que impiden el funcionamiento típico del día a día. A lo largo de las sesiones de terapia, el terapeuta introduce varias técnicas que se pueden aplicar cuando surja la necesidad, y estos principios se pueden utilizar durante toda la vida.

La TCC se basa en el principio del agregado de la terapia conductual a la psicoterapia. La terapia conductual se enfoca en el papel que juegan nuestros problemas al afectar nuestros pensamientos, comportamiento y estilo de vida en general. La psicoterapia presta mucha atención al comienzo de nuestro patrón de pensamiento en la infancia y cómo la importancia que damos a las cosas afecta nuestra respuesta a ellas. Luego, ayuda a las personas a desafiar esos pensamientos, reacciones o creencias automáticas que surgen cuando se desencadenan en situaciones específicas, utilizando estrategias apropiadas para modificar su comportamiento a respuestas y pensamientos más positivos.

Historia de la Terapia Cognitivo-Conductual

La invención de la Terapia Cognitivo-Conductual en 1960 se le atribuye a Aaron Beck. Era psicoanalista, y mientras estaba en sesiones analíticas vio que sus pacientes tenían conversaciones con ellos mismos, similares a las de dos personas. Pero sus pacientes nunca dieron un informe completo de sus pensamientos.

Por ejemplo, durante una sesión de terapia, es posible que usted esté pensando para sus adentros: "Él (el terapeuta) no entiende nada de lo que estoy diciendo" y como resultado de este pensamiento podría terminar sintiéndose molesto o disgustado. En consecuencia, podría responder al pensamiento anterior con otro: "Tal vez sea mi culpa por no ser comunicativo con lo que siento". El siguiente pensamiento podría terminar cambiando cómo se sentía anteriormente debido al primer pensamiento.

Aaron finalmente llegó a reconocer la importancia de la relación entre sentimientos y pensamientos. Luego acuñaría el término "*Pensamiento Automático*" para explicar ideas llenas de emoción que surgen de vez en cuando en nuestra mente. Concluyó que la gente no siempre es consciente de estos pensamientos, pero aun así se les puede enseñar a identificarlos y reportarlos. Concluyó que la clave para alguien que se enfrenta a tales dificultades es reconocer y comprender el papel que juegan estos pensamientos en sus emociones y comportamiento.

Debido a la importancia de la relación entre pensamientos y comportamiento, Aaron ideó el término "*Terapia Cognitiva*" para este método de psicología. Hoy, se la conoce como terapia cognitivo-conductual (TCC). El equilibrio entre la psicoterapia y el tratamiento conductual puede ajustarse para adaptarse a las necesidades individuales; esto ha llevado a la fundación de muchas categorías de TCC. La TCC se ha sometido a varios ensayos científicos por parte de varios equipos y su gama de aplicaciones ha aumentado a lo largo de los años.

El Papel de los Pensamientos Negativos

La teoría que respalda la TCC es que los acontecimientos por sí solos no son los responsables de lo que sentimos o cómo nos comportamos, sino también del significado y la importancia que les damos. Por ejemplo, si uno experimenta un aluvión de pensamientos negativos, podría distorsionar su percepción y llevarlo a creer lo que no es así. Puede aferrarse a este conjunto distorsionado de pensamientos y creencias y no aceptar nada en contrario.

Por ejemplo, debido a la depresión, un o una estudiante podría pensar: "Soy incapaz de terminar la escuela hoy porque nada saldrá bien; todos me odian, no tengo amigos y estaré completamente solo/a". Como resultado de creer en este pensamiento, puede decir que está enfermo para evitar ir a la escuela. Al responder y dejar que este pensamiento afecte su comportamiento, elimina la posibilidad de descubrir si su predicción va a ser incorrecta. Si él o la estudiante hubiera ignorado este pensamiento y hubiera aprovechado la oportunidad de ir a la escuela, algo podría haber sido diferente o las cosas podrían haber ido mejor de lo que predijera. Pero elige quedarse en casa, lidiando con pensamientos aún más negativos como, "Hoy me he perdido mucho y me siento tan solo/a". Visiones como esta podrían hacer que el o la estudiante se sienta aún peor y reducir las posibilidades de que vaya a la escuela al día siguiente. Situaciones como estas son el comienzo de una espiral descendente. Los círculos viciosos como este suelen aplicarse a muchos otros problemas.

¿De Dónde Provienen Estos Pensamientos Negativos?

Según Aaron, cada individuo establece su patrón de pensamiento durante la infancia, y luego crea una forma de pensar reflexiva o automática que permanece fija. Por ejemplo, considere una situación en la que los padres generalmente descuidaron a su hijo/hija (excepto en momentos de necesidad), pero al niño o la niña le va bien en la escuela. En este caso, el niño/a terminará pensando: "Tengo que estar en la cima de mi juego en la escuela, así que lo hago bien o de lo contrario mis padres me rechazarán". El niño o niña termina creando una norma para su existencia (lo que se conoce como suposición disfuncional). Esta norma puede estar distorsionada, pero también puede permitir que el niño o la niña trabaje más para tener un buen desempeño en la escuela y así obtener más atención de sus padres.

Este patrón conduce a varias cadenas de pensamiento conocidas como patrones de pensamiento disfuncionales, que se activan o desencadenan cuando sucede algo fuera del control del niño o niña. Cuando ocurre esto, el modelo de pensamientos automático establecido ocupa un lugar central en la mente del niño o niña, precipitando pensamientos como "Soy un fracaso y no tengo ninguna razón para existir".

El papel de la terapia cognitivo-conductual es ayudar a la gente en situaciones similares a comprender lo que está sucediendo. Les ayuda a pensar fuera de sus líneas de pensamiento reflexivas establecidas. Entonces, en el caso del estudiante o de la estudiante que está preocupado/a por lo solo/a que se sentiría en clase, TCC le alienta y le ayuda a examinar situaciones de la vida real y ver qué sucede. Cuando el estudiante o la estudiante se arriesga y se pone a sí mismo/a en un estado de la vida real más realista, es posible que experimente cosas que irían mejor de lo esperado; pueden conocer a alguien que comparta la misma visión de la vida y hacer un amigo para variar, de modo que puedan sentirse menos solos.

Es un hecho indiscutible que las cosas no siempre salen según lo planeado. Aun así, cuando su mente es inestable, sus pensamientos, predicciones e interpretaciones se distorsionarán; no ve las cosas con claridad y tendrá mayores dificultades para lidiar con situaciones peores. La TCC le ayuda a corregir las opiniones e interpretaciones distorsionadas que pueda tener de diversas circunstancias.

¿Cómo es el Tratamiento de la TCC? ¿Qué Esperar en las Sesiones de TCC

La TCC se diferencia de otros tipos de terapia en algunos aspectos esenciales. Si está considerando la TCC como un método de tratamiento, podría ser útil tener una idea de qué esperar en las sesiones de TCC.

Sesiones de TCC

En la primera sesión, el objetivo principal es realizar una evaluación de la situación. La reunión le permite explicar en detalle los problemas que está experimentando. En esta sesión, el terapeuta intentará obtener una imagen completa de los factores esenciales necesarios para la atención. Luego, el terapeuta determina si son los adecuados para usted para ayudarlo a lidiar con sus problemas, o si necesitan derivarlo a otro facultativo. Por lo general, al final de la primera sesión, el terapeuta puede elaborar un plan de tratamiento que enumere las diversas intervenciones necesarias para la terapia. En algunos casos, se necesita más de una sesión para armar un plan de tratamiento integral. Después de elaborar el cronograma, el terapeuta lo ayuda a comprender si el plan de tratamiento es el adecuado para usted.

Después de la evaluación, el tratamiento comienza en sesiones posteriores para abordar el objetivo del plan de tratamiento. En cada sesión se dedica tiempo a la resolución de problemas, en contraste con el tratamiento tradicional que implica hablar mucho sobre los problemas.

En cada sesión, la TCC maximiza el uso del tiempo para una mayor efectividad. Cada sesión comienza con un pequeño control para determinar cuan efectivo es el plan de tratamiento para resolver el problema subyacente. Un rápido resumen de la última sesión y la tarea que sigue a este control. Después, el resto de la sesión se dedica a tratar la agenda del día.

Sesiones finales

Cuando haya cumplido la(s) meta(s) del plan de tratamiento, el terapeuta reducirá la frecuencia de las sesiones. Otras terapias convencionales a veces duran tres años. En cambio, la TCC dura solo unos meses. La razón es que el diseño de la TCC tiene como objetivo convertirle en su propio terapeuta al brindarle las herramientas para hacer frente a cualquier situación. Los terapeutas programan la última fase de las sesiones de TCC con menos frecuencia, lo que le da más tiempo para aplicar las habilidades y herramientas que ha aprendido a situaciones de la vida real y a desarrollar confianza en su capacidad para lidiar con problemas que puedan surgir a posteriori.

Al final de cada sesión, el terapeuta a menudo le asigna una tarea; este es un proceso vital, ya que ayuda a la gente a dominar las herramientas o habilidades adquiridas durante las sesiones. La tarea varía según la naturaleza de la agenda en particular de una sesión de terapia. Por ejemplo, se le puede pedir que lleve un registro de los incidentes que desencadenan sentimientos de depresión o ansiedad. Esta tarea puede ser imprescindible para examinar los pensamientos generados por los acontecimientos. La siguiente tarea podría ser aplicar habilidades específicas aprendidas durante las sesiones de terapia para lidiar con situaciones similares.

En qué se Diferencia la TCC de Otras Terapias

La diferencia significativa entre la TCC y otras terapias radica en la relación entre usted y el terapeuta. Un inconveniente inherente de la mayoría de los tratamientos es que pueden crear una especie de dependencia del terapeuta. Como resultado, puede llegar a ver al terapeuta como todopoderoso y omnisciente. Con la TCC, este no es el caso.

En la TCC, la relación entre usted y el terapeuta es más o menos igual, más como un acuerdo comercial, más práctica y centrada en los problemas. Su terapeuta siempre le hace preguntas sobre sus puntos de vista sobre la terapia. Aaron Beck describió esta relación con el término "*empirismo colaborativo*". Enfatiza la importancia de que trabaje junto con el terapeuta para generar ideas para aplicarlas a sus problemas.

Beneficios de la Terapia Cognitivo-Conductual

La Asociación Nacional de Terapeutas Cognitivo-Conductual (ANTCC) ha descrito la base de la TCC como construida sobre la teoría de que nuestro comportamiento y sentimientos ocurren en respuesta a nuestros pensamientos, y no son causados por cosas como situaciones, personas y eventos. Con este hecho, la ventaja es que podemos alterar nuestros puntos de vista para cambiar nuestros sentimientos y actuar en contra de un caso o circunstancia.

Los beneficios de la TCC incluyen

- Capacidad para identificar sentimientos y pensamientos negativos
- En casos de adicción, disuadir de la recaída
- Ayuda en el manejo de la ira
- Hacer frente al dolor y la pérdida
- Manejo del dolor crónico

●Superar el trauma y lidiar con el Trastorno por estrés postraumático TEPT

●Superar los trastornos del sueño

●Resolver dificultades en las relaciones

¿Quién Puede Beneficiarse Del Tratamiento con TCC?

La TCC es a menudo un tratamiento adecuado para gente con problemas específicos; la TCC puede ser menos útil para gente que simplemente experimenta sentimientos de infelicidad e insatisfacción, pero que carece de los síntomas que le impiden superar la vida cotidiana.

La TCC es útil para los siguientes problemas:

●Ataques de pánico y ansiedad

●Pensamientos intrusivos

●Depresión

●Preocupaciones

●Manejo de la ira

●Problemas de niños y adolescentes

●Síndrome de fatiga crónica

●Dolor crónico

●Cambios de humor

●Hábitos, como tics faciales.

●Trastornos alimentarios

●Trastorno obsesivo compulsivo (TOC)

●Problemas de salud generales

●Adicción a las drogas o al alcohol

●Fobias

●Trastornos del sueño

●Problemas sexuales y de relación.

• Trastorno de estrés postraumático (TEPT)

Terapia Cognitiva Basada en la Atención Plena (TCBAP)

Fundada por Zindel Segal, Mark Williams y John Teasdale, la TCBAP se diseñó inicialmente para tratar la depresión, pero ahora es aplicable a una amplia gama de problemas.

La TCBAP es un tratamiento psicológico que combina técnicas de terapia cognitivo-conductual (TCC) con estrategias de atención plena para ayudar a la gente a comprender y gestionar mejor sus emociones y pensamientos. La TCBAP generalmente ayuda a las personas a aliviar los sentimientos de angustia.

Capítulo Dos: Identificación de los Trastornos de Salud Mental

La Organización Mundial de la Salud nos ha dado una definición clara de una buena salud mental; dice que es un estado de bienestar en el que una persona se da cuenta de sus habilidades, puede trabajar de manera productiva, puede lidiar con el estrés cotidiano y regular de la vida y puede contribuir a su comunidad.

Los trastornos de salud mental incluyen una amplia gama de diversos problemas, con diferentes señales y síntomas, pero se caracterizan por una combinación de sentimientos, comportamientos, pensamientos y relaciones anormales. Ejemplos de trastornos de salud mental son: depresión, esquizofrenia, discapacidades intelectuales y complicaciones debido al abuso de drogas y trastornos de ansiedad. La mayoría de estos trastornos se pueden tratar con éxito.

Los trastornos de salud mental pueden afectar las relaciones, la vida diaria y, a veces, la salud física. Según los expertos, todo el mundo tiene el potencial de desarrollar trastornos de salud mental, independientemente de su edad, grupo étnico, sexo o situación económica.

La terapia cognitivo-conductual (TCC) utilizada sola o junto con otros tratamientos se ha aplicado para tratar varios trastornos de salud mental. Además de tratar los problemas de salud mental, la TCC se puede utilizar para tratar el estrés.

Nos centraremos en identificar algunos de los trastornos de salud mental más comunes, como los trastornos de ansiedad, preocupación y depresión, trastornos del estado de ánimo y esquizofrenia.

Desórdenes de Ansiedad

El trastorno de ansiedad se produce como resultado de un miedo o ansiedad extremos, que pueden desencadenarse por situaciones, sonidos y objetos específicos. Las personas con este trastorno tratan de mantenerse alejadas de los desencadenantes de su angustia.

Algunos trastornos de ansiedad incluyen:

Trastorno de Pánico

Este trastorno ocurre cuando experimenta un terror repentino paralizante o tiene la sensación de un desastre inminente.

Fobias

Estas van desde fobias simples como las fobias sociales (miedo a ser juzgado por los demás) agorafobia (miedo a no poder salir de determinadas situaciones) y miedo desproporcionado a los objetos.

Trastorno Obsesivo-Compulsivo (TOC)

El TOC es un trastorno de ansiedad que se caracteriza por una sensación de intensa urgencia, compulsiones y obsesiones. Por ejemplo, tener un impulso perentorio de lavarse las manos repetidamente.

Trastorno de Estrés Postraumático (TEPT)

El trastorno de estrés postraumático se produce como consecuencia de un suceso traumático cuando alguien experimenta o presencia algo aterrador y horrible. Durante ese evento, es posible que se haya sentido amenazado/a o que no tenía control sobre lo que estaba sucediendo.

Algunas señales y síntomas de la ansiedad incluyen:

Preocupación Excesiva

Uno de los síntomas más comunes de un trastorno de ansiedad es la preocupación. Este sentimiento es normal en la gente, pero aquí, el nivel de miedo frente a una situación está distorsionado o no es proporcional al desencadenante. Este síntoma es una señal de del trastorno de ansiedad si continúa durante seis meses o más y la preocupación se vuelve difícil de controlar, interfiere con sus tareas diarias y le dificulta la concentración.

Sentirse Agitado/a

La sensación de ansiedad provoca una sobreestimulación del sistema nervioso que resulta en una serie de eventos conectados que ocurren en todo el cuerpo, como palmas sudorosas, pulso acelerado, boca seca y manos temblorosas. Todos estos síntomas ocurren cuando el cuerpo cree que está frente a un peligro inmediato, por lo que el sistema nervioso le prepara para ello. La sangre se desvía del tracto gastrointestinal hacia los músculos en preparación para la reacción de lucha o huida. Su frecuencia cardíaca aumenta y todos sus sentidos están alerta. Estos cambios son necesarios para mantenerle a salvo en momentos de peligro real, pero en el caso de los trastornos de ansiedad, la amenaza está en su cabeza. La gente con el trastorno de ansiedad a menudo tiene dificultad para calmar sus sentimientos de agitación.

Ataques de Pánico

Un síntoma principal del trastorno de ansiedad es un ataque de pánico. Este síntoma se manifiesta como una sensación de miedo abrumadora e intensa.

Después del ataque de pánico hay un aumento en la frecuencia cardíaca, dificultad para respirar, temblores, opresión en el pecho, náuseas, sudoración y pérdida del control. Si los ataques de pánico ocurren con frecuencia, entonces puede ser una señal del trastorno de ansiedad.

Problemas para Conciliar el Sueño o Permanecer Dormido/a

Los trastornos del sueño suelen acompañar a los trastornos de ansiedad. Es posible que tenga dificultades para conciliar el sueño y/o permanecer dormido/a. Según algunos estudios, los niños que padecen insomnio tienen un mayor riesgo de desarrollar un trastorno de ansiedad en el futuro. Este síntoma está íntimamente relacionado con la ansiedad y el tratamiento de los trastornos de ansiedad también mejora el sueño.

Inquietud

La inquietud es una señal común de trastorno de ansiedad, especialmente en adolescentes y niños. La gente con este síntoma tiende a estar nerviosa y tiene un impulso incontrolable de moverse. Es posible que este síntoma no se presente en todas las personas con ansiedad, pero es un síntoma esencial de los trastornos de ansiedad. Experimentar inquietud durante más de seis meses es una señal de un trastorno de ansiedad.

Miedos Irracionales

El miedo intenso a ciertas cosas como espacios cerrados, alturas y arañas podría ser un signo de fobia. La fobia es el miedo irracional a una situación u objeto en particular. Este miedo afecta su capacidad para realizar las funciones diarias.

Las fobias comunes incluyen

- Fobia a los animales
- Fobias a situaciones
- Fobia al medio ambiente natural
- Fobia a la sangre/inyecciones/heridas
- Evitar situaciones sociales

Es posible que muestre indicios de trastorno de ansiedad social si siente miedo a los eventos sociales, miedo a ser juzgado o examinado por otros, o miedo a la humillación pública.

Evitar Situaciones Sociales

La ansiedad frente a lo social es común, incluso entre los adultos, en algún momento de su vida. Se desarrolla comúnmente durante la infancia y suele ser común en la adolescencia temprana. Un individuo con este síntoma tiende a parecer extremadamente callado y tímido cuando conoce gente nueva o está en un grupo; aunque puede ocultarlo externamente, en el interior siente mucho miedo y angustia. Algunas personas pueden parecer distantes o vanidosas como resultado de una extremada autocrítica, depresión o baja autoestima.

Dificultad para Concentrarse

La gente con trastornos de ansiedad suele tener dificultades para concentrarse. Según algunos estudios, la ansiedad deteriora la memoria funcional, lo que hace imposible retener recuerdos a corto plazo. Sin embargo, es importante tener en cuenta que no poder concentrarse también es una señal de otros trastornos, como la depresión, por lo que no es un síntoma exclusivo del trastorno de ansiedad.

Depresión

Los sentimientos de infelicidad son diferentes a los de depresión. La depresión es un trastorno de salud mental más complicado. Es un trastorno de salud mental importante que conduce a dificultades para realizar tareas cotidianas sencillas.

Los sentimientos de tristeza forman parte de nuestra vida diaria. Aun así, cuando comienza a experimentar sentimientos como desesperación y desesperanza que no desaparecen, corre el riesgo de caer en una espiral descendente hacia la depresión.

Es fundamental tomar nota de las señales y síntomas que apuntan a la depresión para determinar si son los sentimientos naturales de tristeza por los que la mayoría de la gente tiende a pasar en la vida.

Perspectiva Desesperanzada

Un síntoma primordial de la depresión es la forma en que la gente con este trastorno percibe la vida. Tienen una visión pesimista o sin esperanza de la vida que les impide funcionar. También pueden tener sentimientos de inutilidad, odio a sí mismos y una intensa culpa, creyendo que todo es culpa suya.

Pérdida de Interés

La gente con depresión a menudo no puede sentir placer ni disfrutar de las cosas. Experimentan una pérdida de interés en todo en general, incluso en aquellas cosas que alguna vez amaron. La pérdida del deseo sexual y/o impotencia se asocian principalmente con la depresión.

Mayor Fatiga y Problemas para Dormir

Como resultado de la incapacidad de disfrutar de las cosas que ama, siente una sensación interminable de fatiga. Es posible que sienta falta de energía o tenga una necesidad excesiva de dormir. La depresión también puede estar asociada con el insomnio.

Ansiedad

La depresión y la ansiedad pueden ocurrir simultáneamente y, a menudo, van de la mano. Es fundamental tener en cuenta que no todas las formas de ansiedad son síntomas de depresión. Algunas cosas que pueden estar asociadas con la ansiedad incluyen:

- Sentimientos de pavor
- Frecuencia cardíaca rápida y aumentada
- Respiración nerviosa
- Inquietud y tensión
- Cavilaciones y falta de concentración
- Aumento de la sudoración

Estos síntomas se pueden controlar con la TCC.

Irritabilidad en los Hombres

La depresión tiende a ser diferente en los hombres y mujeres. Los hombres deprimidos suelen tener comportamientos característicos como irritación, abuso de sustancias e ira fuera de lugar. A diferencia de las mujeres, a los hombres con depresión les resulta difícil reconocer la depresión y buscar tratamiento.

Cambios en el Apetito y el Peso

La fluctuación de peso es una de las características principales de la depresión y es diferente de un individuo a otro. En algunos, conduce a un aumento de peso, mientras que, en otros, puede llevar a una pérdida de peso. Se sabe que la depresión afecta el apetito y puede diferir de una persona a otra en cuanto a si la empuja a comer en exceso o no comer para nada.

Sentimientos Incontrolables

Cuando está deprimido/a, puede tener estallidos periódicos de ira. Sus sentimientos pueden estar por todos lados; puede pasar de sentir una intensa ira frente al mínimo desencadenante en un momento, y al siguiente puede encontrarse revolcándose en la autocompasión o llorando sin razón aparente.

Mirando a la Muerte

La principal causa de suicidio es la depresión. Un gran número de gente muere cada año como resultado de una depresión que no se ha tratado. A menudo ven el suicidio como una salida a sus problemas porque, desde su punto de vista, no hay otra salida. Es posible que hablen sobre cuan a menudo consideran quitarse la vida. Si cree que alguien está en riesgo de suicidarse como resultado de la depresión, es fundamental que lo ayude lo antes posible.

Trastornos del Estado de Ánimo

Este trastorno de salud mental se relaciona principalmente con el estado emocional de una persona. El individuo experimenta extremos de altibajos, de felicidad y tristeza, o incluso a veces ambos.

Los seres humanos tienen la capacidad natural de alterar su estado de ánimo en función del entorno que los rodea. Sin embargo, en el caso del trastorno del estado de ánimo, la capacidad para manejar las actividades diarias normales o rutinarias se ve interrumpida y desafiante.

Los síntomas comunes de los trastornos del estado de ánimo incluyen:

- Sentirse triste casi todo el tiempo o casi todos los días
- Sentirse inútil o desesperanzado/a
- Falta de energía o sentirse lento/a
- Aumento de peso o pérdida de peso
- Extremos de apetito (alto o bajo)
- Falta de sueño o quedarse dormido/a
- No le interesan las actividades de las que normalmente disfruta
- Pensamientos frecuentes sobre la muerte o el suicidio
- Dificultad para concentrarse o enfocarse
- Energía de alto nivel
- Habla o movimiento rápido
- Perturbación, malestar o susceptibilidad
- Comportamiento riesgoso, como conducir de forma imprudente o beber en exceso
- Un aumento anormal de la actividad o un impulso atípico de hacer demasiadas cosas a la vez
- Pensamientos encontrados
- Sentirse aprensivo/a o nervioso/a sin motivo aparente

Esquizofrenia

La esquizofrenia es un trastorno mental grave y debilitante en el que la gente tiene una visión distorsionada de la realidad. Suele caracterizarse por alucinaciones, que resultan en la incapacidad para realizar las funciones diarias. Para controlarla, la esquizofrenia requiere tratamientos de por vida. En las primeras etapas, se brinda atención médica para controlar los síntomas y mejorar el estilo de vida.

Las características de este trastorno de salud mental involucran una variedad de problemas emocionales y de comportamiento, y la incapacidad de distinguir la diferencia entre lo que es real y lo que no lo es. Las señales y síntomas comunes varían de persona a persona. Los síntomas como la alteración del habla, las alucinaciones y los delirios provocan una gran dificultad para funcionar con eficacia.

Los síntomas de la esquizofrenia incluyen:

Delirios

La gente con esquizofrenia tiene dificultades para percibir la realidad, ya que algunas de sus creencias son falsas y no se basan en la realidad como la ve la mayoría de la gente. Por ejemplo, la gente con esquizofrenia puede creer que está siendo lastimada y acosada, que se avecina un desastre mayor, que alguien está enamorado de ella, que ha alcanzado una fama excepcional o que ha conseguido el trabajo de sus sueños. La mayoría de la gente con esquizofrenia tiene este tipo de delirios.

Alucinaciones

Las alucinaciones son otra señal importante de esquizofrenia. Implica escuchar y ver cosas que no existen. Este síntoma puede ocurrir en cualquiera de los sentidos, pero el más común es que el paciente oiga voces en su cabeza. El siguiente es ver cosas que no existen.

Pensamientos Desorganizados (habla)

La esquizofrenia también se caracteriza por una expresión descoordinada como resultado de un pensamiento desordenado. Esto dificulta la comunicación y la transmisión de información. "Ensalada de palabras" es el término que se utiliza para describir la situación en la que pronuncian palabras sin sentido al intentar expresarse.

Comportamiento Motor Extremadamente Desorganizado o Anormal

La gente con esquizofrenia también puede exhibir necedad como la de un niño y agitación compulsiva. Les resulta difícil realizar las tareas, ya que pierden la noción de la meta o el propósito de un trabajo determinado. Otros comportamientos comunes incluyen la resistencia a las instrucciones, las posturas extrañas, los movimientos excesivos e improductivos y la negativa a responder mientras se les habla.

Síntomas Negativos

Este síntoma se caracteriza por la incapacidad de funcionar correctamente. Por ejemplo, parecer sin emociones (no hacer contacto visual, no tener expresión facial y hablar en un tono monótono). La gente con esta afección experimenta una pérdida de interés en diversas actividades, aislamiento social e incapacidad para sentir placer.

Con el tiempo, la persona experimenta períodos de síntomas intensificados y períodos de remisión; sin embargo, algunos síntomas pueden persistir con regularidad.

Para los hombres, los estudios muestran que la esquizofrenia generalmente comienza entre los primeros y mediados de los veinte, mientras que, para las mujeres, generalmente comienza a finales de los veinte. La esquizofrenia es poco común en niños y en personas mayores de 45 años.

Síntomas en Adolescentes

Aunque los síntomas de la esquizofrenia son los mismos en adultos y adolescentes, los síntomas son más difíciles de reconocer en los niños. Esto se debe a que los primeros síntomas son similares al comportamiento esperado de los adolescentes en general, por lo que la esquizofrenia en los adolescentes puede pasar desapercibida durante algún tiempo. Algunos de estos síntomas incluyen:

- Mantener distancia de amigos y familiares
- Rendimiento reducido en la escuela
- Alteración del sueño
- Mal humor
- Sensación de no hacer nada

En comparación con los adultos esquizofrénicos, los adolescentes tienen menos probabilidades de tener delirios y más probabilidades de tener alucinaciones visuales.

Los síntomas graves como el shock extremo, la pérdida de control, la pérdida de contacto con la realidad, las alucinaciones, la necesidad de autolesionarse y los pensamientos suicidas en los trastornos de salud mental se consideran señales de alerta psicológicas. Si por casualidad nota alguno de estos síntomas, debe buscar ayuda profesional de inmediato.

Capítulo Tres: Establecimiento de Metas: Su Punto de Partida Para el Bienestar Mental y Emocional

El método de la TCC tiene su fundamento basado en la colaboración entre usted y el terapeuta para diseñar estrategias y estructura para mantener el enfoque. En otras palabras, la TCC está diseñada para estar orientada a objetivos. El objetivo es hacer que el motivo de la terapia sea relevante para usted. El terapeuta enfatiza el objetivo para brindarle una visión clara de lo que desea en lugar de lo que cree que desea.

La Relación Terapéutica en la TCC

En la TCC, la relación de colaboración entre usted y el terapeuta es importante; se la conoce como una "relación terapéutica". En esta relación, el terapeuta actúa más como un mentor o guía que como un instructor en otros tipos de terapias donde se le dice qué hacer. En la TCC, el terapeuta actúa en un papel de apoyo, presionándole y alentándole a explorar nuevas opciones sobre cómo controlar su proceso de pensamiento para manejar su comportamiento y sentimientos. Esta relación juega un papel vital a medida que trabaja con el terapeuta para llegar a metas realistas para determinar lo que espera lograr.

Cómo Funcionan las Metas

Crear metas le ayuda a concentrarse en lo que es relevante y esencial. También le ayuda a desarrollar una visión del lugar en el que quiere estar en su vida, o cómo le gustaría idealmente que fuera su vida. Fijar una meta aumenta su esfuerzo o disminuye su energía en actividades específicas para ayudarle a idear estrategias para lograr la meta.

Generalmente, el establecimiento de metas en salud mental es un paso esencial que se utiliza para recuperarse de cualquier problema de salud mental común, como la ansiedad y la depresión. La terapia cognitivo-conductual es el primer paso para superar estos problemas.

Aproximación a las Metas

Hay muchas formas o caminos diferentes para establecer metas. En la TCC, la forma "S.M.AR.T." es una de las estrategias más utilizadas. Este método le brinda una imagen clara y vívida de su objetivo o de lo que espera lograr. Le ayuda a mantener su celo o motivación para lograr su propósito. A continuación, se muestra el significado completo del acrónimo " S.M.AR.T.".

S-Specific-específico

Ser específico significa que su objetivo es claro y se centra en lo que quiere. Esto asegura que evita la generalización y aumenta las posibilidades de lograr su objetivo deseado.

M-medible

Tener un objetivo medible le permite crear márgenes cuantitativa y cualitativamente para lo que desea. Le brinda un criterio concreto para lograr cada objetivo establecido. Necesita preguntarse, "¿Cuántos?" y "¿Cuánto?" y "¿Cómo sabré cuándo se ha alcanzado mi meta?".

A-Alcanzable

Sus metas deben ser alcanzables y factibles. Preguntas como "¿Cómo va a lograr sus objetivos?" y "¿Qué puede hacer para que pueda alcanzar sus objetivos?" necesita que se lo pregunte.

R-realista

Este es uno de los aspectos más importantes del establecimiento de metas. Sus metas deben estar dentro del límite de lo que cree que puede hacer dentro del marco de tiempo que se ha dado ¿Es alcanzable el objetivo dadas sus circunstancias actuales? Aunque establecer grandes metas puede servir para motivarle a trabajar duro, puede ser decepcionante cuando no se alcanzan porque se establecen demasiado más allá de sus capacidades. Esto puede hacer que se sienta aún peor.

T-Timely-oportuno

El plazo para lograr cada objetivo debe estar dentro de un límite realista. Este le ayuda a evitar la postergación que podría llevarle a renunciar a sus objetivos.

A continuación, se muestran dos ejemplos de cómo lograr sus objetivos con este enfoque en TCC

Una persona que actualmente no hace ejercicio tiene el deseo de hacerlo con frecuencia. Lo que podría armar usando el enfoque SMART (del inglés, INTELIGENTE).

S-Specific (Específico): cada 20 minutos, trotaré por el parque cercano.

M- Medible: llevaré un diario o registraré la cantidad de veces que salgo a correr y durante cuánto tiempo.

A-Alcanzable: le pediré a un amigo que se me en cada trotada para estar obligado a salir.

R-Realista: 20 minutos es tiempo más que suficiente para tener un buen trote matutino por el parque, así que es suficiente para calentar los músculos, y con mi amigo, conmigo, la carrera será súper divertida.

T-Timely-Oportuno: mantendré esta rutina durante un mes, y después de eso, haré una revisión de cuánto éxito he tenido en lograr este objetivo.

El segundo ejemplo es el de Miguel, quien experimenta ataques de pánico como resultado de una ansiedad severa. Los logros académicos de Miguel se ven muy afectados como resultado del estrés, a pesar de que es un buen estudiante. Finalmente termina la universidad y comienza a trabajar, y ahora lidia con la ansiedad y los ataques de pánico ocasionales cuando interactúa con sus colegas. Decide fijarse el objetivo de idear una forma de lidiar con un trastorno de ansiedad para mejorar su salud mental. Aplicando el método inteligente, esto es lo que se le ocurre:

S-Specific Específico: ha llegado a la conclusión de que necesita reducir sus sentimientos de ansiedad y disminuir sus ataques de pánico.

M-Medible: para que su objetivo sea más medible, decide llevar un registro diario de su estado de ánimo y calificar el nivel de ansiedad en una escala de 1 al 10. Hará esto cada vez que experimente el menor indicio de un ataque de pánico. Esto es para que pueda obtener los datos que necesita para determinar si hay algún cambio con el tiempo.

A-Alcanzable: el objetivo de volverse menos ansioso y más seguro es uno que mucha gente ha logrado, por lo que es un objetivo bastante fácil de lograr.

R-Realista: la meta es realista y está dentro de los límites de su poder. Después de buscar ayuda y recopilar la información necesaria a través de Internet y otros medios de investigación, confirmó que su objetivo es alcanzable. Encontró un terapeuta y le aconsejaron que, aunque su objetivo era posible, requiere mucho trabajo personal, pero puede reducir la tasa y el nivel de ansiedad que siente a niveles manejables.

hora

Con el mantenimiento de registros diarios, espera ver cambios notables para cuando analice sus datos después de un año y medio. En ese momento, espera sentirse más seguro al enfrentar más desafíos en el lugar de trabajo.

En estos ejemplos, ambas personas pudieron llegar a una meta bien pensada respaldada por un plan que era realista y estaba dentro de los límites alcanzables. Con el tiempo, ambos objetivos tienen muchas posibilidades de convertirse en realidad. El enfoque SMART le proporciona un plan paso a paso que le brinda la ruta más cómoda posible para lograr su objetivo.

Papel de la Tarea en Casa para Lograr Sus Metas

Como se mencionó en el Capítulo Uno, la tarea en el hogar es un aspecto esencial de la TCC. Es seguir la estrategia y el plan establecidos para hacer realidad su objetivo. Si desea mejorar y mejorar su salud mental, esta parte de la TCC es imprescindible.

Las actividades o asignaciones dependerán principalmente de la relación terapéutica entre usted y el terapeuta. Después de cada sesión, usted y el terapeuta idean trabajos que le brindarán oportunidades para poner en práctica lo que ha ganado hasta ahora en las sesiones. La terapia en sí es un escenario excelente para obtener información útil que quizás no haya podido ver sin una guía. Básicamente, el propósito de estas asignaciones es alinear y poner en práctica las cosas que ha aprendido. Esto le ayuda a obtener experiencias de la vida real y a comprender cuánto puede mejorar en el control de sus pensamientos y comportamientos.

Además de hacer estas asignaciones entre sesiones, también tendrá que mantener un registro de sus hallazgos en la hoja de trabajo de la TCC.

Un ejemplo de una asignación es mantener registros de sus pensamientos en respuesta a ciertas situaciones diferentes para ayudarle a identificar esos objetos, cosas, ubicaciones que sirven como desencadenantes de procesos de pensamiento específicos no saludables.

Pasos Para Alcanzar sus Metas

Desglose de metas

Si su objetivo consta de muchas partes funcionales, dividirlo en segmentos más pequeños no es una mala idea. Le permite tener una sensación de logro que mantiene su enfoque y, por lo tanto, no tiene que sentirse abrumado.

A veces, los objetivos de la gente con un problema de salud mental son ambiguos e inespecíficos, como:

Quiero sentirme más feliz

Quiero sentirme mejor conmigo mismo y ganar confianza en mí mismo

Necesito dejar de estar ansioso todo el tiempo y relajarme más

Todos estos objetivos son ambiciosos y no tienen nada de malo. Sin embargo, no son lo suficientemente específicos. Son demasiado amplios porque no sabe por dónde empezar; ¿qué hace?, ¿cómo los logra y cómo sabe hasta dónde ha llegado para lograr la meta? Estas son preguntas que debe hacerse.

Para ayudarle a establecer una meta razonable y realista, a continuación, se presentan algunos pasos que le ayudarán a dividir su meta en metas alcanzables más pequeñas.

El primer paso es preguntarse a sí mismo: ¿cómo quiere vivir su vida una vez que logre la meta?

Con esta pregunta, se acerca un paso más a lograr el estado mental deseado, aunque no ayuda mucho a librarse de la ansiedad, la baja autoestima o la depresión. Algunas preguntas que puede hacerse en esta etapa son:

¿Qué quiere experimentar para sentirse mejor consigo mismo?

¿Qué afirmaciones comenzaría a hacer cuando haya logrado aumentar la confianza en sí mismo?

¿Qué compromisos tendrá con su mayor confianza en sí mismo ¿Cuál será su enfoque de la vida?

El siguiente paso es encontrar respuestas reales a sus preguntas

Deberá reconocer pensamientos y comportamientos específicos como guías. A continuación, se presentan algunas respuestas probables:

-Si soy más feliz, puedo pasar más tiempo con mis amigos y colegas. Tendré al menos tres salidas sociales con ellos/ellas como señal de que me siento más satisfecho/a.

-Cuando hablo conmigo mismo, me felicitaré por manejar ciertas situaciones. Me sentiré orgulloso de mí mismo por tener esas salidas sociales y por ser más feliz.

Establezca un marco de tiempo para alcanzar sus metas

Deberá realizar un seguimiento y registrar su progreso de forma diaria o semanal. Tendrá que llevar un registro de cuántas veces sale con tus amigos (as) y cuántas veces se felicita por un trabajo bien hecho, así como registrar las cosas que le impidieron alcanzar sus metas.

La verificación de rutina le permite ver su progreso y medir cuán lejos ha llegado o cuan cerca está de lograr su objetivo. También necesitará encontrar una manera de felicitarse por celebrar sus logros después de cada control de rutina. Esto servirá para aumentar la confianza en usted mismo/a.

Tómese un descanso para ver cuánto ha progresado

Tómese un breve descanso para mirar hacia atrás y ver cuánto progreso ha logrado para que pueda ver el panorama general. Al examinar los datos, preste atención a la constancia con la que ha podido cumplir sus objetivos ¿Se siente diferente a como se sentía antes? Estas preguntas le ayudarán a determinar qué ha estado haciendo bien y si hay algo que debería hacer de manera diferente. Esta reflexión crea espacio para que analice su rutina recién formada de patrones de comportamiento para que pueda ver si afectará su estilo de vida y le permitirá apreciar cuán lejos que ha llegado en el logro de sus objetivos.

Es posible que experimente algunos obstáculos que se interpongan en el camino para lograr su objetivo. Uno de los factores importantes de las asignaciones de la TCC y de mantener un registro de su progreso es permitirle reconocer los obstáculos que lo frenan. Esto le permite idear estrategias efectivas para abordarlos. Por ejemplo, puede descubrir nuevas formas de calmarse durante un ataque de pánico trayendo pensamientos útiles que sirvan para calmarle y estabilizarle. La identificación de estos obstáculos también le ayuda a encontrar métodos para ignorar y abandonar patrones de pensamiento específicos que le impiden alcanzar sus metas.

Establecimiento de objetivos y uso de un libro de trabajo

Un libro de trabajo para establecer metas es la herramienta perfecta para ayudar a alguien a lograr sus sueños y metas. Le permite realizar un seguimiento de su progreso y anotar las cosas en papel. Un libro de trabajo le permite:

Mantener un registro de todos sus logros

Llevar un registro de las cosas que quiere evitar hacer

Identificar las barreras que le impiden alcanzar su objetivo

Llevar un registro de las cosas que le ayudarán a superar determinadas situaciones

Establecer metas a largo y corto plazo

Reconocer áreas que necesitan mejoras

Pensar en rutinas más saludables

Capítulo Cuatro: Ansiedad y Preocupación: Técnicas de la TCC para reducir ambas AHORA

El estrés y las preocupaciones van en aumento en nuestra vida diaria. Estar siempre conectado a las noticias, las redes sociales y otros aspectos de Internet ha servido para aumentar los riesgos de ansiedad y preocupación. La mayor presión para lograr más y la incertidumbre sobre nuestras finanzas y nuestra carrera también han contribuido a aumentar el miedo en la vida de la gente. Ahora la gente se entrena a sí misma en el acto de realizar múltiples tareas para hacer más trabajo y satisfacer las necesidades diarias, y esto solo ha fomentado la ansiedad. La salud mental de la población en general está en riesgo; ahora más que nunca, la necesidad de encontrar una solución a los problemas creados por nuestra sociedad es cada vez mayor.

La mayoría de las veces, la preocupación excesiva, conduce a la ansiedad. Alguna gente argumenta que preocuparse les ayuda a prepararse para lo inesperado y, si bien esto puede ser cierto para ciertas personas, para otras solo les genera más problemas.

La ansiedad, la preocupación, los pensamientos obsesivos y los ataques de pánico se pueden tratar. Estos problemas de salud mental y otros similares pueden manejarse a un nivel que le permita llevar una vida saludable. Aunque los medicamentos para la ansiedad son bastante útiles para controlar el estrés y la preocupación, solo llegan hasta el punto de tratar los síntomas. La terapia de la ansiedad es el camino de tratamiento más eficaz para la ansiedad, el miedo excesivo y los ataques de pánico porque, a diferencia de los medicamentos, la terapia llega tan lejos como para abordar la causa subyacente del problema de salud mental. Le ayuda a descubrir las raíces de sus preocupaciones y miedos al mismo tiempo que le ayuda a idear estrategias sobre cómo superarlos. Le muestra cómo mirar las causas de sus preocupaciones y ansiedad de forma menos aterradora.

Existen diferentes tipos de trastornos de ansiedad, y cada uno es considerablemente diferente de otro. Esto significa que la terapia particular asignada a cada uno debe diseñarse para el diagnóstico y los síntomas específicos. El plan de tratamiento para los ataques de ansiedad será diferente al de una persona con trastorno obsesivo compulsivo (TOC). La duración del tiempo necesario para la terapia también dependerá del tipo y la gravedad del trastorno de ansiedad.

Se han aplicado muchas técnicas y tipos de terapia para tratar el trastorno de ansiedad y la preocupación excesiva, pero el enfoque más eficaz es la terapia cognitivo-conductual (TCC). A veces, la TCC se utiliza junto con otras técnicas de terapia necesarias, según las necesidades del individuo.

Debe determinar si su preocupación es simplemente la preocupación habitual que todos tienen o es excesiva hasta el punto de impedirle llevar una vida saludable. La autoevaluación es esencial para determinar si su ansiedad es un problema de salud mental. Puede comenzar por hacerse las siguientes preguntas.

Posibilidades de que sus Preocupaciones se Hagan Realidad

¿Cuáles son las posibilidades de que suceda lo que le preocupa?

Necesita reconocer lo que le causa ansiedad y miedo. Por ejemplo, si está destinado a pronunciar un discurso, es posible que le preocupe que la gente se burle y se ría de usted. Si le preocupa reunirse con alguien, es posible que tenga miedo de lo que la persona pueda decir o que lo rechacen. Si su preocupación está relacionada con cometer errores en el trabajo, es posible que le preocupe que le despidan.

Tiene que poder descubrir qué le asusta si quiere tener alguna esperanza de superar la ansiedad. La mayoría de las veces, reconocer lo que le aterra le hará darse cuenta de lo infundado que es su miedo.

Después de determinar la fuente de su miedo, debe determinar la probabilidad de que su preocupación se cumpla. Debe analizar lógicamente las veces que ha estado en una situación similar y determinar la cantidad de veces que se ha cumplido el peor de los casos que predice su miedo. Por ejemplo, ¿cuál es la probabilidad de que la gente se burle de usted mientras da un discurso? ¿Hay cosas que pueda hacer para disminuir la probabilidad de que esto suceda? Todas estas preguntas pueden hacerle darse cuenta de que existen formas reales de influir favorablemente en la situación.

¿Es Posible el Mejor de los Escenarios?

A veces, la gente supone el peor escenario cuando se trata de casi todas las situaciones. Se ha convertido en experta en imaginar lo peor en todo y, como resultado, se ha olvidado de que es posible algo contrario a el escenario imaginado. Está bien considerar el peor de los escenarios del peor de los casos, e incluso podría resultar útil, pero cuando nos olvidamos de los mejores escenarios en cada situación, es posible que estemos llevando nuestras preocupaciones demasiado lejos. Debe determinar los dos posibles extremos de un escenario y luego considerar el más probable. La mayoría de las veces, su mente deriva hacia los escenarios más extremos, mientras que, en la mayoría de los casos, eso no sucede. Si tiene dificultades para determinar el escenario más probable, le vendría bien imaginar una situación como una mezcla de bien y mal.

¿Cuántas Veces Ha Sucedido lo que Predijo?

Esta es otra forma útil de determinar si su preocupación real vale la pena al hacer un recuento de cuántas veces se hizo realidad el peor de los casos previstos. Si todavía está bien, a pesar de haberse visto en una situación similar tantas veces a lo largo de los años, esto podría significar que su preocupación no tiene fundamento. Incluso si el peor de los escenarios ha sucedido antes, puede comparar la cantidad de veces que sucedió con las veces que no. Esto podría hacer que se dé cuenta de que su miedo puede ser innecesario.

¿Qué Puede Hacer Para Afrontar la Situación, Incluso Si lo Peor Se Hace Realidad?

La mayoría de las veces verá que su preocupación parece ir solo hacia el peor de los casos. Lo que viene después de eso parece no ser lo que nos preocupa. Puede ser útil agregar "¿Qué sucede después?" a su lista de preocupaciones. Esto podría ayudarlo a descubrir qué hará para sobrellevar si ocurre el peor de los casos. Si se ríen o se burlan de usted cuando pronuncia su discurso, ¿irá a casa y se sentará frente al televisor todo el día o tal vez dormirá todo el día? Cualquiera que sea el caso, si puede extender su preocupación hacia la imaginación de una estrategia de afrontamiento, se dará cuenta de que se sentirá bien incluso después del peor de los escenarios.

¿De qué Sirve preocuparse Por lo que Pasa frente a Cada Situación?

Esta es la última pregunta que debe examinar. ¿Preocuparse por la situación cambia el resultado? ¿Le ayuda a manejar mejor el resultado o solo empeora las cosas? A veces, la preocupación puede servir para animarle a afrontar la situación y prepararse mejor. Pero demasiada preocupación puede hacer más daño que bien. Por ejemplo, podría interferir con sus preparativos para un acontecimiento; podría terminar creyendo en el peor de los escenarios en lugar de mirar los hechos. No importa cuánto se preocupa frente a la situación específica, el resultado no puede verse influenciado por ello. Entonces, en lugar de preocuparse, también podría dedicar su tiempo a hacer cosas para prepararse mejor. Su preocupación puede ser contraproducente, pero al enfocar su mente y entrenar su cerebro para abordar una preocupación específica, será menos probable que su ansiedad y preocupaciones se apoderen de usted.

Este método de autoexamen para determinar si su preocupación y ansiedad le están haciendo más daño que bien se deriva de la terapia cognitivo-conductual. Se ha demostrado que la TCC es el método de terapia más eficaz para los trastornos de ansiedad y preocupación obsesiva.

Tratamiento de la Ansiedad y la Preocupación Obsesiva con la TCC

La TCC se basa en el hecho de que nuestros comportamientos y sentimientos dependen de nuestros pensamientos. La gente con trastornos de ansiedad tiene una forma de pensar negativa que le sirve como fuente de emociones negativas, miedo y ansiedad. El tratamiento con la TCC de la preocupación y la ansiedad le ayuda a reconocer esos patrones de pensamiento negativos y a corregirlos.

La TCC para la Ansiedad: Pensamientos a Desafiar

Esto se conoce como reestructuración cognitiva. En este proceso, el patrón de pensamiento negativo y las creencias del individuo con un trastorno de ansiedad se desafían y se reemplazan con pensamientos más realistas y positivos.

Este proceso tiene lugar en tres pasos.

Reconocer sus pensamientos negativos

La gente con trastornos de ansiedad a menudo ve la situación específica como más peligrosa de lo que realmente es. Por ejemplo, individuos con fobia a los gérmenes pueden tener miedo de tocar la manija de una puerta, ya que podrían verse como una amenaza para sus vidas.

A veces es difícil reconocer o identificar sus pensamientos y miedos irracionales. Una forma de lograrlo es preguntarse cuáles eran sus pensamientos cuando se sentía ansioso/a o preocupado/a.

Desafiar o abordar sus pensamientos negativos

Este es el segundo paso e implica trabajar con el terapeuta para idear estrategias para lidiar con los factores desencadenantes del pensamiento que desencadena su ansiedad. Para hacerlo, tendrá que presentar evidencia de su patrón de pensamiento negativo. Puede obtener evidencia analizando sus creencias distorsionadas y poniendo a prueba su predicción negativa. El terapeuta le ayudará a encontrar tareas que le permitirán hacer esto y dejarte experimentar con las ventajas y desventajas de varias estrategias, así como también le ayudará a medir de manera realista la probabilidad de que se cumpla su peor escenario imaginado.

Reemplazar creencias y pensamientos negativos por positivos y realistas

Una vez que se identifican los miedos irracionales y los sentimientos negativos que desencadenan su ansiedad, se pueden reemplazar o modificar por otros más positivos y realistas. Esto se hace con la ayuda de su terapeuta, quien actuará como su guía para calmarle cuando ciertas situaciones desencadenen sus ataques de ansiedad y pánico.

Para que comprenda mejor el desafío del pensamiento con la TCC, consideremos este ejemplo.

Juan tiene miedo de tomar un transporte público porque tiene miedo de morir en un accidente de vehículos. Después de que el terapeuta de Juan reconoció estos pensamientos negativos, le pidió a Luan que escribiera sus pensamientos para identificar las diversas distorsiones y errores en su pensamiento. A continuación, se muestra lo que se le ocurrió:

1. Pensamiento Negativo Persistente/Desafiante:

¿Qué pasa si tengo un accidente y muero mientras utilizo un sistema de transporte público?

Distorsión cognitiva:

Predecir el peor de los casos.

Pensamiento más realista:

Muchos de mis amigos y familiares que todavía están vivos utilizan el sistema de transporte público, por lo que no debe ser tan inseguro como creo.

2. Segundo pensamiento negativo:

Morir en un accidente de transporte es una forma terrible de morir.

Distorsión cognitiva:

No pensar con claridad.

Pensamiento más realista:

Hay muchas formas de morir; los accidentes de transporte son solo uno de los tantos; además, incluso el transporte privado puede verse involucrado en un accidente de tránsito.

3. Tercer pensamiento negativo:

Incluso podría morir simplemente viajando en cualquier tipo de transporte público.

Distorsión cognitiva:

Saltando a conclusiones.

Pensamiento más realista:

La gente no muere simplemente por subir al transporte público.

El proceso de reemplazar los pensamientos negativos distorsionados por otros más positivos y realistas no es una tarea fácil. Estos pensamientos distorsionados se han programado en la mente del individuo en cuestión y se han convertido en un patrón de pensamiento que puede durar toda la vida. Se necesita mucho trabajo para romper cualquier hábito. la TCC trabaja de la mano con la tarea que se le da para que sea más fácil lograrlo. La TCC para la ansiedad también incluye:

- Lecciones que le ayudarán a reconocer cuándo se pone ansioso por el efecto en su cuerpo.
- Estrategias de afrontamiento para ayudarlo a relajarse cuando se enfrenta a ataques de ansiedad y pánico.
- Desafiar sus miedos (tanto imaginarios como reales).

Un sistema de tareas o asignaciones que facilita la recuperación de los trastornos y preocupaciones mentales se conoce como terapia de exposición.

Terapia de Exposición

Una situación en la que desencadena la ansiedad suele ser desagradable y la gente con trastornos de ansiedad hace todo lo posible para evitarla en la medida de lo posible. Por ejemplo, si tiene miedo a las alturas o los vuelos en avión, hará todo lo que esté a su alcance para evitar meterse en cualquier situación que los involucre. Para aquellos con fobia a hablar en público, incluso podrían llegar a evitar hablar en la boda de su mejor amigo. En la medida en que estas situaciones pueden ser desagradables, pueden ser un aspecto importante de la vida, y evitarlas le quita la oportunidad de superarlas. Y cuanto más las evita, más fuertes se vuelven.

La terapia de exposición tiene como objetivo ponerle en contacto con esas situaciones y objetos aterradores. Se basa en la teoría de que, con la exposición repetida, se acostumbrará a estas situaciones y tendrá más control de sus ataques de ansiedad y pánico. Hay dos formas de lograr la terapia de exposición.

- Que su terapeuta le pida que imagine estos objetos y situaciones aterradores en las sesiones.
- Afrontar estas situaciones en la vida real, para que pueda aplicar lo que ha ganado en las sesiones de terapia.

Desensibilización Sistemática

A veces, enfrentar sus miedos de inmediato puede conducir a resultados devastadores. La terapia de exposición generalmente comienza con situaciones que desencadenan ansiedades y preocupaciones leves. Trabaja gradualmente desde allí hacia situaciones más peligrosas. Este proceso de exposición gradual se conoce como desensibilización sistémica. Le permite desarrollar tolerancia y confianza para dominar el control de su ansiedad.

Por ejemplo, el proceso de desensibilización sistémica por miedo a los vuelos en avión implica:

Paso 1: mirar una foto de aviones

Paso 2: ver videos de aviones en vuelo

Paso 3: ver despegar un avión real

Paso 4: reservar un billete de avión

Paso 5: conducir al aeropuerto

Paso 6: registrarse para su vuelo

Paso 7: subirse a su avión

Paso 8: tomar el vuelo

La desensibilización sistemática ocurre en tres fases

Aprender habilidades de relajación

El primer paso involucrado en la desensibilización sistémica es aprender a relajarse en aquellas situaciones que desencadenan su ansiedad. Con la ayuda de su terapeuta, se le enseñarán técnicas relajantes como relajación muscular y respiración profunda. Estas técnicas se han de practicar tanto en casa como en las sesiones de terapia. Estas técnicas ayudarán a reducir los síntomas físicos (sudoración, hiperventilación y temblores) de sus ataques de ansiedad mientras afronta sus miedos.

Crear una lista paso a paso

Se creará una lista de aquellas situaciones que desencadenan su ansiedad para guiarle hacia su objetivo. Se elaborará una lista de acciones para superar el miedo ante cada situación para brindarle una guía y una estrategia. Cada paso debe ser específico con un objetivo realista y medible.

Hacer que la terapia de ansiedad funcione para usted

La ansiedad requiere mucho tiempo y reflexión, además de compromiso. El tratamiento con TCC requiere que enfrente sus miedos y, a veces, puede terminar sintiéndose peor antes de mejorar. Pero cualquiera que sea el caso, ceñirse al plan de tratamiento y escuchar a su terapeuta es fundamental para su éxito.

Capítulo Cinco: Lidiar con la Depresión: Consejos de la TCC para Sentirse Mejor al Instante

A veces, la vida puede complicarse por lo que es perfectamente normal sentirse deprimido ocasionalmente. Sentir que todo está en su contra de vez en cuando es un sentimiento demasiado común y una de las características del ser humano, especialmente en la sociedad actual. Según un informe de la Asociación Estadounidense de Ansiedad y Depresión, 14.6 millones de personas viven con trastornos depresivos graves.

Hoy en día, muchas personas trabajan más horas solo para recibir el mismo salario; algunos tienen que lidiar con demasiadas facturas o problemas de relaciones personales. Otra gente está lidiando con problemas de adicción como el alcohol y las drogas. Todo el mundo tiene muchos problemas y no todo el mundo está al cien por cien todo el tiempo. Pero cuando sus sentimientos están en su punto más bajo todo el tiempo en la medida en que afectan su vida diaria, o experimenta sentimientos de desesperación que simplemente no desaparecen, es posible que esté experimentando depresión. La depresión es un lugar oscuro y solitario que puede hacer que el funcionamiento diario sea un desafío. Algunos días se siente abrumado y el único consuelo que puede encontrar es en el alcohol y las drogas.

Si se encuentra en este lugar en este momento y siente que nadie viene a salvarlo, la buena noticia es que puede ayudarse a sí mismo. Se ha demostrado que la TCC es extremadamente útil para ayudar a la gente que vive con depresión.

Tipos de depresión

Muchas personas experimentan varios tipos de depresión. Estos diferentes tipos de depresión se pueden experimentar juntos o además de un problema de adicción; cualquiera que sea el caso, la TCC es útil para tratar muchos tipos de depresión.

Depresión mayor

Este tipo de depresión ocurre cuando ha experimentado cinco o más síntomas de depresión durante al menos dos semanas. La depresión mayor a menudo debilita e interfiere con una función diaria adecuada, como trabajar, dormir, comer y estudiar. Puede experimentar episodios de depresión mayor varias veces en su vida. A veces, pueden ocurrir como resultado de sucesos traumáticos como la muerte de un ser querido o la ruptura de una relación.

Trastorno bipolar

Las personas con este tipo de depresión experimentan síntomas de cambios de humor. Se trata de un ciclo que va desde sentimientos de felicidad leve a intensa (euforia) hasta episodios de depresión extremadamente abrumadora.

Trastorno depresivo persistente (TDP)

Este tipo de depresión se conocía anteriormente como distimia. La TDP ser un tipo menos grave de depresión mayor, aunque sus síntomas suelen ser similares a los de la depresión mayor. La gente con este tipo de depresión suele experimentarla durante al menos dos años.

Algunos síntomas del TDP incluyen estrés, irritabilidad y la falta general de capacidad para disfrutar de la vida.

Señales y Síntomas de Depresión

A menudo, a la gente le preocupa estar experimentando depresión. Debido a que mucha gente a menudo se siente triste de vez en cuando, es esencial poder distinguir entre experimentar depresión y simplemente lidiar con un breve período de tristeza. La depresión generalmente se puede identificar por la pérdida de interés en la vida en general y la incapacidad para realizar las funciones diarias de manera efectiva. Las siguientes señales y síntomas generalmente definen la depresión.

- Pérdida de interés en las cosas de las que solía disfrutar

- Constantes sentimientos de impotencia y desesperanza

- Cansancio inexplicable

- Incapacidad para concentrarse, incluso cuando la tarea es fácil

- Cambio en el apetito, ya sea comiendo más o menos

- No pensar en algo positivo

- Agresividad, irritabilidad y mal genio

- Beber más alcohol de lo habitual

- Engancharse en un comportamiento imprudente

- Uso excesivo de drogas prescritas o ilegales

- Sentimientos de culpa e inutilidad, o autodesprecio

Experimentar todos estos síntomas es un signo seguro de depresión, y una de las mejores opciones de tratamiento disponibles hoy en día es la TCC.

Terapia Cognitivo-Conductual para la Depresión

Tener un buen conocimiento de los síntomas y poder identificarlos es el primer paso para la recuperación; a veces a mucha gente le resulta difícil identificar las señales de depresión.

El siguiente paso es conocer los diversos planes de tratamiento eficaces para la depresión.

La terapia cognitivo-conductual es una psicoterapia que ayuda a modificar los patrones de pensamiento para cambiar los estados de ánimo y los comportamientos negativos por otros más positivos.

El tratamiento de la depresión con la TCC aplica tanto terapia cognitiva como conductual. Con la ayuda de su terapeuta, podrá identificar esos patrones de pensamiento negativos que desencadenan respuestas conductuales inapropiadas frente a ciertas situaciones.

El plan de tratamiento sigue un patrón estructurado para guiarle en la elaboración de estrategias que le ayuden a lidiar con aquellas situaciones que sirven como desencadenantes. Estas estrategias ayudan a controlar o eliminar su depresión. La TCC tiene como objetivo mejorar su estado mental actual en lugar de lidiar con el pasado.

Como ocurre con la mayoría de las enfermedades mentales, el tratamiento de la depresión con TCC es una tarea difícil. Para ayudarle, a continuación, encontrará algunas pautas que leo ayudarán a prepararse para el tratamiento.

Terapia

Dado que la TCC es un método de tratamiento orientado a objetivos, no requiere tanto tiempo como otros métodos de tratamiento. Las sesiones de terapia pueden ser una vez a la semana y pueden durar 30 o 60 minutos.

El primer conjunto de sesiones de terapia se utilizará para determinar si necesita el tratamiento o es apto/a para él y para saber si se siente confortable con el procedimiento.

Aunque el enfoque principal del tratamiento de la TCC es su vida presente, su terapeuta necesitará algo de comprensión de su pasado, por lo que se le hará algunas preguntas sobre su historia y antecedentes.

Usted tomará la decisión final sobre los cambios que desee. Además, usted y el terapeuta tomarán las decisiones sobre lo que quieren discutir cada día.

Tratamiento TCC para la Depresión

Con la ayuda de su terapeuta, cada uno de sus problemas se dividirá en partes más pequeñas y manejables. Cada parte se tomará por separado y se resolverá siguiendo el plan trazado. Se le pedirá que lleve un registro de sus pensamientos, emociones, sentimientos y patrones de comportamiento para poder identificarlos y modificarlos.

El registro ayudará a su terapeuta a determinar cómo esos pensamientos, sentimientos y emociones le están afectando, y a ver cuáles de ellos pueden ser irreales y distorsionados. Luego, trabajará con su terapeuta para idear estrategias sobre cómo enfrentarlos y luego modificarlos gradualmente.

Usted y su terapeuta trabajarán juntos para elaborar tareas o asignaciones que le ayudarán a practicar y aplicar lo aprendido en las sesiones.

Las sesiones de terapia adicionales le brindarán la oportunidad de ver cuánto progreso se ha logrado hasta ahora con respecto a la sesión anterior y ver qué tan bien se logró la última asignación.

A diferencia de otros tipos de psicoterapia, el tratamiento con TCC requiere una buena relación entre el terapeuta y usted, por lo que todas las decisiones que se tomen se tomarán en conjunto. Durante el procedimiento, frente a frases que signifiquen una orden el terapeuta no le obligará a elegir.

Incluso después de que haya terminado con las sesiones, puede continuar aplicando estas estrategias; esto le permite estar sano durante tantos años como sea posible.

Cómo Funciona la TCC para la Depresión

Una de las características únicas de la TCC es que requiere menos tiempo, tomando tan solo de 6 a 20 sesiones.

Durante cada sesión, usted y su terapeuta identificarán situaciones que contribuyen a la depresión y tratarán de abordar esos patrones de pensamiento. Las notas o diario que se utiliza para llevar registros ayudan a su terapeuta a dividir esas reacciones y patrones de pensamiento en diferentes grupos, como:

Pensamiento de todo o nada, donde tu visión del mundo es en blanco y negro, o

Generalización de todo, que se refiere a utilizar el resultado de un suceso para juzgar otros.

Patrones automáticos de pensamiento negativo, cuando determinadas circunstancias desencadenan una serie de pensamientos negativos que se han vuelto habituales.

No creer en lo positivo, cuando siempre considera la perspectiva de una experiencia positiva como algo que no puede suceder.

Minimizar o maximizar la importancia de determinados eventos, cuando se distorsiona la naturaleza crítica o no crítica de determinadas situaciones.

Exagerar las cosas desproporcionadamente, en las que siempre piensa que todo lo que sucede es resultado de lo que ha hecho o dicho, o que los comportamientos y actividades de la gente se deben a usted.

Centrarse en un acontecimiento adverso, cuando siempre tiende a insistir en un hecho adverso de modo que su visión de la realidad se distorsiona

Mantener un registro de las cosas también le ayuda a:

- Analizarse a sí mismo para encontrar formas adecuadas de responder a las situaciones.
- Saber cómo hablarse a sí mismo de manera realista.

- Ser capaz de analizar sus sentimientos y situaciones con precisión.

- Ser capaz de dar respuestas adecuadas a eventos específicos.

La aplicación de estos métodos y técnicas le ayudará a lograr un equilibrio entre su mente y su cuerpo.

De qué manera la TCC ayuda a la Depresión

La depresión se ha convertido en uno de los problemas de salud mental más generalizados que experimentan tanto jóvenes como ancianos, y los efectos debilitantes de la depresión no pueden ignorarse. Este problema de salud mental va más allá de afectar solo su vida; también afecta a amigos y familiares. La depresión es una enfermedad común y grave que impacta negativamente en la vida de quienes la padecen; familiares y amigos, así como compañeros de trabajo y empleadores.

La depresión afecta significativamente el funcionamiento adecuado de la sociedad en su conjunto. Por ejemplo, cuando la depresión le impide llevar a cabo una función adecuada en el trabajo y afecta su vida financiera, no sufrirá solo, ya que los efectos se extienden hacia su familia, empleador y cualquier persona que tienda a beneficiarse económicamente de usted.

¿Qué tipos de depresión trata la TCC?

La TCC es útil para tratar a personas con depresión moderada y se puede utilizar como plan de tratamiento sin necesidad de medicación. Para aquellos con depresión significativa, la TCC funciona mejor cuando se usa junto con medicamentos.

Así como la depresión afecta tanto a ancianos como a jóvenes, la TCC también es eficaz en el tratamiento de ambos y contribuye en gran medida a reducir los riesgos de recaída. Las estrategias de afrontamiento y las modificaciones cognitivas derivadas del tratamiento con TCC le brindan habilidades a largo plazo para lidiar con muchas situaciones exigentes. Entonces, la TCC es una herramienta útil para mantenerse mentalmente saludable y libre de depresión durante mucho tiempo.

Para que la TCC funcione, debe

Estar motivado para cambiar su situación actual

Ser capaz de introspección

Tener la capacidad de controlar su reacción frente a las cosas que suceden a su alrededor

Cómo Funcionan los Componentes de la TCC en la Depresión

La TCC es una psicoterapia que tiene dos componentes: la parte cognitiva y la parte conductual.

La parte cognitiva ayuda a identificar aquellos pensamientos negativos poco realistas que conducen a conductas y emociones negativas. También le ayuda a comprender las creencias que ha desarrollado con el tiempo y qué desencadenó su desarrollo. Esta es una parte esencial del tratamiento con TCC para la depresión.

La parte conductual le ayuda a afrontar el tratamiento y la modificación de las diversas respuestas y comportamientos en determinadas situaciones. Con la ayuda de su terapeuta, analizará sus actividades diarias y sus efectos en su estado de ánimo.

La TCC va más allá de las sesiones de terapia, ya que se le darán varias asignaciones para practicar todo lo ganado en las sesiones de terapia.

Depresión y Adicción

Una de las asociaciones más comunes a la depresión es la adicción. La gente que está deprimida corre un alto riesgo de abuso y dependencia de sustancias que adormecen esos sentimientos dolorosos. A veces, el abuso de sustancias específicas como el alcohol deprime su sistema nervioso central. Por tanto, el abuso de alcohol podría servir para inducir depresión. El veinte por ciento de los estadounidenses que sufren de ansiedad y trastornos del estado de ánimo como la depresión son adictos al alcohol u otras sustancias.

Según las estadísticas, parece un hecho que la depresión y la adicción están estrechamente relacionadas, y cada una de las afecciones tiende a amplificar la otra. Es esencial buscar ayuda si está experimentando ambos estados a la vez.

La interrelación entre depresión y adicción se conoce como diagnóstico dual. La gente con ambas condiciones a menudo ve la vida como extraordinariamente solitaria y debilitante, porque ambas condiciones sirven para empeorar la otra.

Desencadenantes de la Depresión y la Adicción

La mayoría de las veces no es fácil determinar si la depresión o la adicción comenzaron primero. Pero en base a años de estudio e investigación, se han identificado algunos factores desencadenantes de ambas afecciones.

Ambas afecciones parecen afectar la misma área del cerebro. Esta área también es responsable de cómo respondemos al estrés.

Los factores genéticos también tienen un papel importante que desempeñar en el abuso de sustancias y la depresión. Algunas personas, debido a su ADN, son más propensas a la depresión y la adicción.

Los problemas de desarrollo temprano afectan la mezcla; la gente que tuvo problemas de salud mental mientras crecía tiene más probabilidades de volverse adicta, y la personas que tuvieron problemas con el abuso de sustancias a una edad temprana son más susceptibles a problemas de salud mental en el futuro.

Cosas para Recordar Acerca de la TCC

Las nuevas experiencias pueden ser desafiantes, especialmente las que cambian la vida, y optar por la TCC como su elección de tratamiento significa que está optando por algo desafiante. Las dudas y preocupaciones sobre su funcionamiento son perfectamente normales, pero se le pedirá que se ponga manos a la obra y, con la ayuda de su terapeuta, está garantizado un buen resultado. Antes de someterse a un tratamiento de TCC para la depresión, es fundamental saber lo siguiente.

La TCC explora esas experiencias y sentimientos dolorosos que siempre desea evitar, por lo que podría terminar enfrentando estas situaciones.

Lograr su objetivo de tener una buena salud mental depende totalmente de usted. Su terapeuta solo puede servir como guía para alentarle, pero al final, usted terminará haciendo todo el trabajo duro.

Necesitará desear estar bien, por lo que tendrá que esforzarse incluso cuando no tenga ganas.

Si quiere recuperarse, será necesario afrontar aquellas situaciones que normalmente intenta evitar.

Capítulo Seis: TCC en el Lugar de Trabajo: Formas de Vencer el Estrés en el Trabajo

La preocupación por el estrés relacionada con el trabajo está creciendo en todo el mundo, y si le preocupa la cantidad de presión por la que pasa en el trabajo, no está solo. Es un problema que va más allá de afectar la salud de los empleados, impactando la eficiencia y productividad de las organizaciones afectadas. Muchas empresas exigen el máximo compromiso y tienen una enorme carga de trabajo que deben afrontar sus empleados.

Muchos acontecimientos sirven como desencadenantes del estrés relacionado con el trabajo. Por ejemplo, es posible que se sienta abrumado con la carga de trabajo que enfrenta, y la presión de la demanda que le impone para que lo haga podría ser imposible de manejar. Muchos trabajos pueden requerir un número absurdo de horas que cree que no vale la pena. Las diferentes situaciones en el trabajo que pueden ser una fuente de estrés incluyen:

Conflictos laborales entre sus colegas o empleadores

Hacer frente al cambio constante en el trabajo

Miedo a perder su trabajo o a ser degradado

La presión laboral afecta a varias personas de manera diferente, no todo el mundo tiene la misma visión del trabajo. Lo que usted puede ver como un desafío, para otra persona puede considerarlo extremadamente estresante, mientras que otra persona puede no sentir que es un desafío o que es estresante. Esto se debe a que no todo el mundo tiene la misma constitución psicológica. La gente tiene experiencias diferentes y, como resultado, no siempre tiene las mismas opiniones sobre ciertas cosas. Pero el hecho es que todos se sienten estresados cuando se enfrentan a desafíos específicos en la vida.

Los acontecimientos individuales pueden aumentar o disminuir el estrés. Los síntomas del estrés relacionado con el trabajo pueden ser fisiológicos o psicológicos. Muchas personas buscan formas de reducir el estrés relacionado con el trabajo. Un método para lidiar con el estrés que ha demostrado ser útil para tratar muchos aspectos de los problemas psicológicos es la terapia cognitivo-conductual (TCC). La TCC ayuda a la gente que atraviesa por situaciones de estrés laboral a encontrar una nueva perspectiva de su situación. Le ayuda a manejar la presión al mismo tiempo que disminuye los efectos del estrés psicológico y emocional. La TCC también les enseña nuevas estrategias para ayuda a sentirse cómoda y tener más confianza frente a cualquier desafío laboral.

Identificar algunos síntomas específicos de estrés puede ser complicado, mientras que otras señales pueden ser leves y manifestarse en detalles más pequeños. Cualquiera que sea el caso, debe reconocer los síntomas del estrés relacionado con el trabajo para saber cuándo buscar ayuda.

Síntomas del Estrés Relacionado con el Trabajo

Se han realizado muchos estudios sobre los síntomas y efectos del estrés relacionado con el trabajo.

Los síntomas como malestar estomacal, dolor de cabeza, problemas para dormir y problemas de relación con amigos y familiares son signos bien conocidos de estrés en el trabajo.

Los síntomas del estrés relacionado con el trabajo se dividen en tres categorías: psicológicos, físicos y conductuales.

Síntomas psicológicos

Depresión

Trastornos dermatológicos

Desánimo

Pesimismo

Ansiedad

Irritabilidad

Dificultades cognitivas

Algunos de estos problemas psicológicos son fáciles de identificar. Por otro lado, los efectos físicos del estrés en el trabajo no son tan fáciles de reconocer porque están asociados con diferentes problemas y enfermedades. El estrés relacionado con el trabajo puede precipitar una enfermedad crónica. Un estudio publicado por el Journal of Occupational and Environmental Mental Health (Revista de Salud Mental Ocupacional Y Ambiental) reveló que el costo de la atención médica es más del 50 por ciento más para los trabajadores que experimentan altos niveles de estrés relacionado con el trabajo.

Enfermedad cardiovascular

Algunos trabajos son extremadamente exigentes y cambian constantemente, y no les dan a los empleados control sobre lo que está sucediendo; estos trabajos aumentan el riesgo de enfermedad cardiovascular.

Trastornos musculoesqueléticos: los trabajos específicos que requieren determinadas formas de actividad física aumentan el riesgo de desarrollar enfermedades de las extremidades superiores y la espalda.

Lesiones en el lugar de trabajo: las condiciones estresantes de trabajo generalmente interfieren con las prácticas de seguridad adecuadas, lo que aumenta el riesgo de lesiones relacionadas con el trabajo.

Suicidio, cáncer, úlceras y función inmunológica: según algunas investigaciones, existen algunas relaciones definidas entre el estrés relacionado con el trabajo y problemas de salud como estos.

Síntomas físicos

- Dolores de cabeza
- Fatiga
- Dificultades para dormir, como insomnio
- Tensión muscular
- Palpitaciones del corazón
- Molestias gastrointestinales, como diarrea o estreñimiento
- Presión arterial alta
- Pérdida del apetito
- Mal desempeño laboral

Síntomas conductuales

- Agresión
- Un aumento de los días de enfermedad o el ausentismo
- Una caída en el desempeño laboral
- Disminución de la creatividad y la iniciativa
- Cambios de humor e irritabilidad
- Menor tolerancia a la frustración e impaciencia
- Desinterés

- Problemas de relaciones interpersonales
- Aislamiento
- Período de atención corto
- Procrastinación
- Más uso de alcohol y drogas

Desencadenantes del Estrés Relacionado con el Trabajo

Estos son algunos factores que actúan como facilitadores de la presión en el lugar de trabajo:

Mala gestión

Exigencias de alto rendimiento

Ambiente de trabajo alrededores

Falta de apoyo adecuado

Cambios en la gestión

Trauma

Conflictos de roles

Causas del Estrés Relacionadas con el Trabajo

Estos factores son los principales responsables del miedo en el lugar de trabajo.

Grandes cargas de trabajo

Largas horas

Plazos cortos

Inseguridad laboral

Cambios dentro de la organización

Habilidades insuficientes para hacer el trabajo

Trabajo aburrido

Relaciones deficientes con colegas y empleadores

Supervisión excesiva

Cambios de funciones

Falta de recursos adecuados

Mal ambiente laboral

No hay suficientes oportunidades de promoción

Falta de equipamiento

Discriminación

Acoso

Eventos aleatorios en el lugar de trabajo, como muertes en el lugar de trabajo.

¿Cómo Funciona la TCC para el Estrés?

El tratamiento con TCC para el estrés relacionado con el trabajo ayuda a comprender los efectos de patrones de pensamiento específicos en nuestro comportamiento y cómo estos pueden aumentar su nivel de estrés. Además, a la vez que le ayuda a identificar estos patrones de pensamiento, lo ayuda a crear nuevos patrones de pensamiento que cambian su comportamiento y respuesta. También sirve para ayudarle a aumentar su confianza y capacidad para hacer frente a ciertas situaciones estresantes y desafiantes.

Después de pasar por la terapia cognitivo-conductual, podrá controlar mejor sus conductas y manejar situaciones estresantes con facilidad. También sabrá cómo evitar que algunas situaciones laborales sean estresantes.

Terapia

Para la primera sesión de terapia TCC, su terapeuta le hará varias preguntas, de modo que pueda determinar cuanta de ayuda necesita y el enfoque a tomar para manejar los desafíos que enfrenta. Estas también ayudan a su terapeuta a elaborar un plan adecuado para lograr el objetivo.

Las sesiones posteriores se utilizarán para determinar e identificar las situaciones que actúan como desencadenantes para usted. Esto se hace a través de una seria discusión con su terapeuta. Le ayuda a conocer y ver estos factores desencadenantes desde un nuevo ángulo. Además, aprenderá nuevas formas de pensar, manejar y afrontar esas situaciones estresantes.

Se le darán varias asignaciones para ayudarle a poner en práctica todo lo aprendido en las sesiones de TCC y para ver cuánto ha mejorado su capacidad para lidiar con situaciones estresantes en el trabajo. No hay una forma fácil de salir del estrés relacionado con el trabajo; tendrá que esforzarse mucho porque estas situaciones estresantes son estresantes por una razón y, hasta que descubra cómo lidiar con estas razones, su condición no va a cambiar.

Algunos consejos prácticos de la TCC que pueden ayudarlo a lidiar con el estrés relacionado con el trabajo incluyen:

Aprenda a priorizar

A veces, tener demasiado que hacer no le inspira a hacer más puede que se sume a una situación que ya es estresante. Puede terminar sintiéndose abrumado y sentir que todo está fuera de su control.

No tiene por qué hacer todo. Aprender a priorizar es un aspecto esencial del trabajo para algunas organizaciones: tomarse su tiempo para priorizar hace que las cosas funcionen mejor. Incluso puede descubrir que tiene tiempo para muchas otras cosas que pueden servir para reducir el estrés laboral. Puede hacer una lista de las cosas más importantes para hacer en lugar de las tareas que no son esenciales. Esto le da una mayor probabilidad de tener el control y tomar sus tareas una por una, desde la más importante a la menos importante.

Monitoree su estado de ánimo

Este es un consejo esencial de TCC para el manejo del estrés laboral. Su terapeuta le ayudará a encontrar formas de controlar cómo ciertas situaciones y eventos en el trabajo que afectan su estado de ánimo. En otras palabras, le ayuda a procesar cómo se siente ante circunstancias particulares mientras le ayuda a ver cómo algunos patrones de comportamiento afectan su estado de ánimo de manera específica.

Cuando se encuentra concentrándose en pensamientos específicos como la carga de trabajo que enfrenta y preocupándose por situaciones futuras en el trabajo, puede ser útil su habilidad para monitorear el estado de ánimo. Puede llevar un diario para registrar su estado de ánimo.

Registre la situación estresante

Anote cómo se siente en el momento de la situación desencadenante o cada vez que piense en la situación. Puede calificar cada sentimiento en función de lo abrumador que fue.

Registre todo lo que estaba pensando en el momento de la situación. Es esencial tener en cuenta cada pensamiento, para que pueda saber cómo cada uno afecta sus sentimientos.

Cuando haya terminado de registrar todo, puede guardar su diario. Después de unos días, puede volver a su diario para repasar lo que había escrito.

Esta forma de registrar todo lo que sucede con sus pensamientos y sentimientos es una excelente manera de aprender a ver sus emociones desde otro ángulo. Es más probable que note cuán distorsionadas estaban sus opiniones y actitudes en el momento de la situación cuando vuelva a su diario unos días después. Esto le da la oportunidad de poder reconocer qué pensamientos necesita modificar y cambiar para que la próxima vez pueda afrontar y responder mejor a la situación.

De la TCC, puede aprender cómo estos patrones de pensamiento negativos (distorsiones cognitivas) afectan su salud mental y cómo podemos idear estrategias para lidiar con ellos.

Concéntrese en las cosas que puede controlar y desarrolle un equilibrio positivo

En situaciones en las que nos sentimos abrumados y consumidos por nuestra carga de trabajo, a menudo tendemos a concentrarnos solo en las cosas que podemos controlar. A menudo esto termina elevando nuestro nivel de estrés general y agotando nuestras mentes, gastando energía que podríamos estar usando para lograr algo mejor.

En momentos como este, las lecciones de la TCC para replantear nuestras mentes y pensar pueden ayudarnos a sentirnos en control.

El reencuadre positivo es diferente del pensamiento positivo. El replanteamiento positivo le ayuda a idear nuevas formas y estrategias utilizando los datos disponibles para ver las cosas de una manera más realista. En lugar de pensar de manera positiva en la situación o tarea estresante, el reencuadre positivo ofrece una forma alternativa de resolver o afrontar la situación. Por ejemplo, podría estar a cargo de planificar la fiesta de fin de año para su organización/empresa y, al mismo tiempo, administrar su agenda ya llena. El reencuadre positivo podría ayudarle a encontrar una forma alternativa al ayudarle a ver la importancia de delegar en lugar de simplemente manejar todo usted mismo.

Situación: un gran evento próximo que requiere muchos detalles y aportaciones. Pensamientos: *Esto es mucho trabajo para mí no creo que este trabajo pueda ser solo para mí. Hacer esto solo podría resultar en un gran desastre.*

Sentimientos: irritable, deprimido/ y ansioso/a.

Comportamientos: evite todo lo que tenga que ver con la situación. Evite hacer el proyecto, posponga las cosas y omita detalles importantes del proyecto.

Pensamiento alternativo: *aunque este es mucho trabajo para una sola persona, siempre he sido bueno para realizar trabajos como este, y que me asignen esta tarea significa que mi jefe me tiene en alta estima, lo que significa que puedo hacer esto y no debo* *decepcionarlo. decepcionar. Voy a hacer toda la investigación necesaria para esta tarea; esta podría ser mi oportunidad de mostrar mis aptitudes. Siempre puedo pedir ayuda si me quedo atascado, así que lo haré concienzudamente para ver hasta dónde puedo llegar por mí mismo por ahora.*

Busque satisfacción y significado en su trabajo

A veces podemos terminar sintiéndonos insatisfechos y aburridos con el flujo constante de trabajo. Esta es una causa importante y una fuente de estrés para mucha gente y puede afectar su salud física y mental. Algunos de nosotros siempre hemos soñado con el puesto, la carrera o el trabajo perfectos. Una de las mayores motivaciones y fuente de impulso que mueve a mucha gente es la pasión por su trabajo. Una vez que esta se pierde, se sentirá insatisfecho.

Tal vez no esté en el trabajo de sus sueños, pero aún puede encontrar un propósito en estar allí. Con ambición, incluso puede aprender a desarrollar pasión por el trabajo. Incluso en algunas tareas sin ninguna importancia, puede aprender a encontrar significado en las pequeñas contribuciones que hace. Todo lo que tiene que hacer es centrar su atención en los aspectos del trabajo que le gustan y de los que disfruta. Incluso si a los demás no les parece mucho, es posible que descubra que con el tiempo puede obtener la promoción que busca.

En otras ocasiones, cuando se siente indefenso e inseguro, cuando el nivel de estrés está por encima del techo, algunos de los siguientes consejos pueden serle de ayuda:

Hable con su Empleador sobre los Factores Estresantes en el Lugar de Trabajo

Su empleador sabe que los empleados felices y en su sano juicio son más eficientes y productivos, por lo que siempre hará todo lo posible para abordar el estrés laboral para sacar lo mejor de los empleados. Por lo tanto, es importante informar a su empleador de los factores estresantes que hacen que sea imposible realizar su trabajo de manera efectiva.

Obtenga una Descripción Clara de su Trabajo

Si no comprende bien sus responsabilidades y deberes relacionados con una tarea, es posible que le resulte muy difícil. Esto puede aumentar el nivel de estrés relacionado con el trabajo. Siempre puede pedir una aclaración sobre una misión, para que sepa lo que está haciendo.

Puede solicitar un traslado a otro departamento para escapar del ambiente tóxico.

Si está cansado/a, aburrido/a o estresado/a por la misma tarea de siempre, puede pedir algo nuevo.

Capítulo Siete: Pensamientos Intrusivos: Reconocerlos y Eliminarlos con TCC

A veces puede experimentar pensamientos específicos que surgen de la nada en su cabeza. Tal vez está realizando una de sus actividades diarias y, de repente, se le ocurre un pensamiento extraño o una imagen loca que le deja preguntándose de dónde viene. La mayoría de las veces, la idea podría ser inofensiva, como hacer algo estúpido y socialmente loco en público. A veces puede ser un pensamiento que podría hacer más daño que bien, o algo que nunca podría soñar hacer, como empujar a alguien por un tramo de escaleras.

La buena noticia es que usted no es el único que experimenta pensamientos raros y extraños que aparecen en la mente en momentos aleatorios.

¿Qué son los Pensamientos Intrusivos?

Los pensamientos intrusivos son pensamientos que llegan a nuestra conciencia sin ninguna indicación o advertencia. El contenido de estos pensamientos a veces suele ser inaceptable para la población en general, ya que son inquietantes y alarmantes o simplemente extraños.

Cuando por alguna razón, estos pensamientos se quedan atrapados en nuestra cabeza pueden provocar una angustia severa.

En algunas situaciones, cuando estos pensamientos ocurren con frecuencia, pueden comenzar a interferir con nuestra vida diaria. Estos pensamientos pueden ser comportamientos violentos por naturaleza, sexuales y otras fantasías perturbadoras que son inaceptables para usted.

Es esencial saber que estos pensamientos no son más que pensamientos y no tienen ningún significado, por lo cual el poder que tienen sobre usted será solo el que les dé. Cuando les presta más atención de la necesaria a estos pensamientos y se preocupa por ellos, se siente avergonzado/a y perturbado/a, entonces podría estar experimentando un trastorno mental.

Cuando sabe que estos pensamientos no son más que pensamientos y no tiene la obligación de hacer lo que sugieren, los pensamientos intrusivos no pueden ser dañinos.

¿Qué Causa los Pensamientos Intrusivos, y Son Normales?

No se ha determinado con certeza la causa de los pensamientos intrusivos, pero algunos psicólogos han publicado algunas teorías. Lynn Somerstien propuso que quizás la razón por la que surgen estos pensamientos es porque la persona está pasando por alguna situación difícil. Esta situación podría ser problemas interpersonales, estrés laboral, problemas con los padres y la crianza de los hijos, o algo que la persona está tratando de mantener en secreto. Desafortunadamente, en lugar de que los pensamientos de estos problemas permanezcan enterrados, encuentran una forma alternativa de manifestarse.

Otra psicóloga que ha propuesto otra teoría es la Dra. Hannah Reese. Ella sugirió que las manifestaciones de estos pensamientos son el resultado de nuestra incapacidad para actuar de la manera que sugieren, porque, aunque nunca hará lo que estos pensamientos sugieren, su cerebro sigue pensando en algunas de las cosas más extrañas que pueda imaginar.

Esto nos lleva a la pregunta de por qué nuestro cerebro sigue teniendo esos pensamientos.

A la Dra. Sally Winston y al Dr. Martin Seif se les ocurrió una descripción sobresaliente de lo que creen que provoca pensamientos intrusivos. Creen que nuestro cerebro crea lo que ellos llaman "pensamientos basura" y estos son parte de los desechos que flotan en nuestro flujo de conciencia. Pensamientos como estos no tienen sentido, y si los evitamos y los ignoramos, simplemente desaparecen.

De dónde provienen estos pensamientos intrusivos sigue siendo un misterio, pero el hecho es que, en algunos casos, la gente se concentra demasiado en ellos y cuanto más intenta evitarlos, más piensa en ellos.

En algunos otros casos, estos pensamientos surgen como resultado de un problema de salud mental subyacente o un problema cerebral como

Trastorno de estrés postraumático (TEPT)

Trastorno obsesivo-compulsivo (TOC)

Daño cerebral

Enfermedad de Parkinson

Demencia

Es esencial notar cambios o síntomas en su salud mental porque no deben tomarse a la ligera. Algunas señales tempranas de problemas de salud mental incluyen:

Cambios en los patrones de pensamiento

Pensamientos de imágenes perturbadoras

Pensamientos obsesivos

Por ejemplo, si alguien le dice que evite pensar en una ballena verde, aunque se le permita pensar en cualquier otra cosa del mundo, no pensar en una ballena verde, puede ser difícil evitar la idea de una ballena verde. especialmente durante mucho tiempo. Con el tiempo, descubrirá que su mente se deslizará y la imagen de una ballena verde le vendrá a la mente.

En un estado mental saludable, es fácil para usted monitorear y realizar un seguimiento de sus muchos pensamientos, e incluso cuando surgen pequeños reflejos aleatorios, es fácil dejarlos escapar.

En situaciones en las que le resulta difícil dejar de lado esos pensamientos intrusivos, sino que, en lugar de eso, sigue enfocándose en ellos cada vez con más frecuencia; entonces es fundamental buscar ayuda.

Pensamientos Intrusivos y Otros Trastornos de Salud Mental

Algunos de los trastornos mentales más asociados con pensamientos intrusivos incluyen:

Ansiedad

TOC

Depresión

TDS

Trastorno bipolar

TDAH

Es normal que surjan pensamientos intrusivos en nuestra mente; todo el mundo los experimenta. Sin embargo, en los casos en que aparecen con más frecuencia y provocan una angustia significativa, es posible que tenga uno de los trastornos mentales asociados mencionados anteriormente.

Pensamientos intrusivos y TOC

Uno de los síntomas importantes y fáciles de reconocer del TOC son los pensamientos intrusivos frecuentes, que experimentan casi todas las personas diagnosticadas con TOC.

Según el Dr. Robert L. Leahy, estos pensamientos a menudo se evalúan negativamente: puede terminar pensando que hay algo anda mal en usted porque estos pensamientos que no debería estar pensando siguen apareciendo en su mente. Entonces, la única forma que ve de controlarlos es prestarles mucha atención, monitorearlos y evitar que aparezcan.

La gente con TOC que experimenta estos pensamientos intrusivos compulsivos reacciona de cierta manera a estos pensamientos, lo que lleva a problemas más graves. La frecuencia de estos pensamientos solo aumenta con más atención, lo que la lleva a convertirse en una obsesión. Esta obsesión se traduce en conductas repetidas que se llevan a cabo para evitar la recurrencia de estos pensamientos.

Algunos ejemplos de pensamientos intrusivos relacionados con el TOC incluyen preocuparse por cerrar las ventanas, por dejar las llaves en la puerta y preocuparse por las baterías en las superficies. Alguien con TOC puede desarrollar el hábito de limpiar las superficies varias veces o evitar tocar la manija de la puerta o volver a revisar repetidamente para asegurarse de tener la llave consigo. Estas compulsiones a menudo afectan la calidad de vida del individuo e interfieren con una vida diaria saludable.

Pensamientos Intrusivos y Depresión

La gente que sufre de depresión también es propensa a tener pensamientos intrusivos. Los pensamientos intrusivos depresivos frecuentes también pueden causar depresión. Cuando se pone demasiada atención en los pensamientos intrusivos negativos y depresivos específicos que ocurren con frecuencia (rumiación), puede conducir a una depresión severa. Es posible que regrese una y otra vez tratando de abordar estos pensamientos, pero en lugar de resolver el problema, solo terminará empeorándolo.

Algunos ejemplos de pensamiento intrusivo dentro de la depresión incluyen:

Centrarse demasiado en los aspectos negativos y esperar siempre los peores escenarios

Poner demasiado énfasis en un suceso horrible específico y usarlo como referencia a otros similares en el futuro

Analizar demasiado las cosas en su cabeza (pensar demasiado)

Siempre suponiendo que sabe lo que piensan los demás

Aceptar el peor de los casos como el único resultado posible de una situación particular

· Exageración de un evento determinado

· Asumir la responsabilidad de cosas que no puede controlar

Pensamientos como estos pueden nublar su mente y hacerle imposible ver las cosas como realmente son. En lugar de ver la mayor parte de lo que pasa por su cabeza como simples pensamientos, termina creyéndolos, tomando cada análisis como real y sin ser objetivo en sus conclusiones.

Pensamientos Intrusivos y Ansiedad

En los casos de TOC, la persona involucrada tiende a experimentar pensamientos intrusivos intensos, gráficos, violentos e inaceptables, mientras que las personas con ansiedad a menudo sienten que se están ahogando en muchos pensamientos no deseados de menor intensidad que los de quienes padecen de TOC.

En el caso de un trastorno de ansiedad generalizada (TAG), los pacientes pueden experimentar una preocupación incontrolable por la seguridad de un ser querido. Algunas personas con un trastorno de ansiedad relacionado con el miedo a las situaciones sociales (fobia social) pueden encontrar un desafío en superar los recuerdos de cometer un error o decir algo que no deberían haber dicho.

Por lo general, cuando alguien con un trastorno de ansiedad experimenta un pensamiento intrusivo, terminará tomando la peor decisión con respecto al sentimiento negativo. A menudo pasan más tiempo del necesario obsesionándose con el pensamiento, todo en nombre de intentar sacárselo de la mente. Cuando dedican más tiempo a un pensamiento intrusivo, a menudo le dan poder sobre ellos, perdiendo el control sobre sus mentes como resultado.

Pensamientos Intrusivos y Trastorno del Estrés Postraumático

Otro problema de salud mental estrictamente asociado con pensamientos intrusivos es el trastorno de estrés postraumático (TEPT). En el caso del trastorno de estrés postraumático, los pensamientos intrusivos están relacionados con un suceso particularmente traumático que ya ha tenido lugar, y que incluso podría implicar reviviscencias.

Las personas con TEPT tienen dificultades para olvidar lo que les sucedió en el pasado; como resultado, los síntomas del TEPT les hacen lidiar con el pasado una y otra vez. Experimentan reviviscencias de vez en cuando en forma de pesadillas y pensamientos intrusivos. En episodios de TEPT, el estado del cuerpo es similar al de la situación anterior. Como resultado, la persona está en alerta máxima debido a la inundación de hormonas de "lucha y huida" y otras hormonas en el cerebro.

Pensamientos Intrusivos y TDAH

Un síntoma principal del TDAH son los pensamientos intrusivos. A la gente con TDAH a menudo le resulta difícil prestar atención, incluso en los ambientes más propicios. La dificultad para concentrarse es una característica general de esta afección de salud mental, y una de las causas son los pensamientos intrusivos perturbadores frecuentes. Las personas con TDAH experimentan un mayor grado de pensamientos intrusivos que las personas con TOC, aunque los trastornos son similares.

Tratamiento con Terapia Cognitivo-Conductual (TCC) para los Pensamientos Intrusivos

La TCC es una de las opciones de tratamiento más eficaces para los pensamientos intrusivos. Dado que el pensamiento intrusivo tiene que ver con cómo estos pensamientos aleatorios surgen en la mente e influyen en el comportamiento, la TCC es nada menos que una elección perfecta de tratamiento para esta afección de la salud mental. La TCC se usa sola o en combinación con otras opciones de tratamiento, según la gravedad de la afección.

La TCC ayuda a crear y desarrollar estrategias de manejo para lidiar con pensamientos y comportamientos dañinos y no deseados. A través de la TCC, podrá aprender a idear formas más saludables de ignorar los pensamientos intrusivos.

Terapia de Aceptación y Compromiso (TAC)

La Terapia de Aceptación y Compromiso es un subtipo de TCC que le enseña a aceptar sus sentimientos y pensamientos en lugar de participar en una batalla para evitarlos. La TAC le muestra cómo ser consciente mientras busca formas alternativas de pensar. Les enseña a las personas con estos pensamientos intrusivos a aceptar estos pensamientos como normales, pero no a pensar en ellos, ya que son solo uno de los muchos pensamientos que pueden ignorarse. Los seis principios de la TAC son:

Difusión cognitiva: aprende a dar poca importancia a los pensamientos, sentimientos e imágenes negativas.

Aceptación: aprender a dejar que esos pensamientos intrusivos corran por su mente sin sentirse angustiado/a.

Ponerse en contacto con el momento presente: aprenda a concentrarse en el presente en lugar de pensar demasiado en el pasado o el futuro, y aprenda a aceptar las cosas que suceden a su alrededor.

Observarse a sí mismo: ser consciente o consciente de su ser.

Valores: identificar aquellos valores importantes en los que se basa tu vida, aquellas cosas que considera más importantes.

Acción comprometida: asignar metas según tus valores y las cosas por las que está luchando.

Estos seis principios ayudan a tratarle y curarle mientras crean una mente con visión de futuro.

Prevención de la Respuesta y Exposición (PRE)

Otro aspecto de la TCC que ha demostrado su eficacia para ayudar a las personas con TOC a lograr una salud mental estable es la Prevención de la respuesta y exposición (PRE). En este método de terapia, usted está expuesto a situaciones y eventos que actúan como desencadenantes de su miedo y aprende a lidiar mejor con ellos.

LA PRE tiene como objetivo mostrarle que es capaz de desafiar esos miedos, para que se dé cuenta de lo irracionales que son. Esos pensamientos intrusivos pueden permanecer, pero con la ayuda de esta terapia, se convierten en nada más que una molestia insignificante a la que no le presta mucha atención.

Autoayuda: Manejo de los Pensamientos Intrusivos con TCC

Este método se utiliza además de otros métodos de TCC para disminuir los síntomas de pensamientos intrusivos y brindarle una mejor calidad de vida cuando se enfrenta a pensamientos intrusivos.

Según Seif y Winston (2018), hay siete pasos que pueden ayudarlo a cambiar su actitud hacia los pensamientos intrusivos y a superarlos.

- Ponga una etiqueta a estos pensamientos, como "pensamientos intrusivos".

- Sepa que no tiene control sobre estos pensamientos, son automáticos.

- No aleje los pensamientos, acéptelos.

- Flote y deje pasar el tiempo.

- No hay necesidad de apresurarse. Dese tiempo, recuerde que menos es más.

- Los pensamientos vendrán de nuevo, espérelos.

- Puede permitir que la ansiedad esté presente, pero no detenga lo que estaba haciendo antes del pensamiento intrusivo.

Además, Seif y Winston pusieron algunas señales de advertencia contra estos pensamientos.

- Involucre los pensamientos de la mejor manera posible.

- No guarde los pensamientos en su mente.

- Encuentre el significado del pensamiento.

- Observe para ver si eso es efectivo para deshacerse de los pensamientos.

El centro de recuperación de North Point, que es una organización que ayuda a la gente que enfrenta diversos trastornos y abuso de sustancias, presentó cinco consejos para ayudar a la gente a desafiar sus pensamientos intrusivos.

- Analice más a fondo por qué le molestan los pensamientos intrusivos.

- No bloquee su mente. Permita que los pensamientos entren y siga adelante.

- No se deje llevar por pensamientos; son solo pensamientos, no les dé más poder del que tienen.

- No reaccione emocionalmente a pensamientos intrusivos.

- Tratar de alinear sus comportamientos con su obsesión no le ayudará a largo plazo.

Capítulo Ocho: Atención Plena y Conexión con la TCC

Con el aumento de la popularidad de los tratamientos TCC y APTCC para diversos problemas de salud mental, se han formulado muchas preguntas sobre lo que ofrecen las dos al mundo de la psicología. La terapia cognitivo-conductual (TCC) más popular ha ganado una amplia audiencia por su método práctico y orientado a objetivos para tratar muchas enfermedades. La relativamente recién llegada, APTCC, todavía tiene un largo camino por recorrer para lograr la popularidad de la TCC.

Debido a los muchos valores y similitudes, a menudo es difícil distinguir entre los dos métodos.

Para darle una imagen completa de los principios básicos y de qué se tratan ambos métodos de psicoterapia, vamos a ver un resumen de ambos enfoques.

Terapia Cognitivo-Conductual (TCC)

Para esta comparación, veremos una breve descripción general de TCC, que ya vimos en el capítulo uno.

Como su nombre lo indica, la terapia cognitivo-conductual es un tipo de psicoterapia que aplica dos componentes del tratamiento: los componentes Cognitivo y Conductual. Al utilizar estas dos partes en sus planes de tratamiento orientado a objetivos, ha tenido éxito en el tratamiento de varios problemas de salud mental como trastornos de ansiedad, trastorno del estrés postraumático, depresión, esquizofrenia y TOC, entre otros.

Componente cognitivo: el componente cognitivo es la parte de la TCC responsable de reconocer esos pensamientos distorsionados y modificarlos por otros más realistas. Es posible que experimente pensamientos y sentimientos específicos que le hagan tener algunas creencias distorsionadas. Cuando actúa sobre esta creencia poco realista, a menudo conduce a comportamientos específicos que pueden interferir con una vida saludable y muchos aspectos de la vida, como la relación entre los miembros de la familia, las relaciones románticas, los académicos y el trabajo.

Por ejemplo, cuando alguien sufre de baja autoestima, puede estar lidiando con algunos pensamientos distorsionados (negativos) sobre sus capacidades y apariencia. Esto podría resultar en patrones de pensamiento negativos que podrían tender a mantenerlos alejados de los eventos sociales o darles oportunidades específicas que implican tratar con personas o exponerlas a ellas.

El componente cognitivo de la TCC aborda las acciones para modificar y cambiar estos pensamientos destructivos. Con la ayuda de su terapeuta, podrá identificar esos patrones de pensamiento y creencias distorsionadas. Esta etapa de la TCC se conoce como "análisis funcional". Es vital, así usted puede avanzar en la determinación de cómo estos pensamientos afectan su comportamiento.

Componente del Comportamiento

Esta parte de la TCC se ocupa de los comportamientos resultantes debido a los pensamientos negativos distorsionados. Estos comportamientos son el producto final de creencias falsas y poco realistas debido a patrones de pensamiento negativos. Con la ayuda del componente conductual, se le mostrará una nueva habilidad o estrategia para hacer frente a estos comportamientos, que puede aplicarse a situaciones reales de la vida.

En la mayoría de los casos, un cambio de comportamiento se logra en muchos pasos graduales.

Un ejemplo de TCC en acción sería cuando se supone que debe salir con un amigo y él se la rechaza, diciendo que está ocupado. Podría terminar pensando que lo odia y, por lo tanto, quiere mantenerse alejado de usted, especialmente si esto sucede repetidamente. Esto conduce a un pensamiento más negativo, lo que le lleva a dudar y cuestionar su valor. Es posible que termine sintiéndose ansioso y paranoico, por lo que la próxima vez que tenga una salida terminará usando su experiencia anterior para juzgarla.

En el tratamiento con la TCC, se le enseñará cómo reconocer e identificar estos pensamientos negativos. En lugar de creerles, se le mostrará cómo buscar un patrón alternativo para analizar la situación. Aprenderá a cuestionar todas sus suposiciones negativas. Se le pedirá que considere la otra salida anterior que haya tenido con sus amigos o alguien. Después de pasar por todo esto, tal vez vea que todos estos pensamientos están solo en su cabeza, y tal vez el amigo que lo rechazó está realmente ocupado.

¿Qué es la Atención Plena?

Es una creencia generalizada que nuestra realidad se define por la forma en que pensamos. También se cree que esta realidad puede verse influenciada mejorando la calidad de los pensamientos. Cada pensamiento y sentimiento que experimenta da forma a la naturaleza de su realidad. La terapia cognitiva basada en la atención plena, o TCBAT lo ayuda a reconocer y comprender el tono de sus pensamientos y sentimientos y a crear hábitos nuevos y saludables.

La TCBAT combina eficazmente la terapia cognitiva junto con técnicas de atención plena para ayudar a una persona a lidiar con problemas como la ansiedad, la depresión o cualquier otro problema de comportamiento. Fundamentalmente ayuda a disminuir sus preocupaciones, estrés y miedos al permitirle controlar sus sentimientos.

La capacidad de ser consciente de los pensamientos que surgen en su cabeza sin dejarse llevar por ellos se conoce como atención plena. La mente tiende a divagar y, cuando intenta concentrarse en la tarea que tiene entre manos, es posible que note que se cuelan otros pensamientos. La atención plena le permite controlar su mente usando técnicas que le animan a hacer un balance de sus pensamientos y decidir si quiere responder a ellos o no.

La psicoterapia de atención plena está diseñada para que usted enfoque su conciencia en el momento presente. Le ayuda a analizar sus sentimientos, pensamientos y sensaciones corporales con calma.

Los fundamentos de la atención plena se basan en una técnica antigua utilizada por el budismo y enseñanzas espirituales orientales específicas, y está diseñada para ayudar a la gente a adquirir conciencia de su cuerpo, sentimientos y mente para que pueda alcanzar la autorrealización.

La atención plena fue desarrollada en la década de 1970 por el Dr. Jon Kabat-Zinn, que era el director de una clínica de reducción del estrés en la Universidad de Massachusetts. Se utilizó como herramienta psicológica en el control del estrés, la ansiedad y el dolor crónico. En la década de 1990 se la investigó y utilizó en el tratamiento de la depresión. Hoy, se ha investigado la TCBAT científicamente y es reconocida por muchos de los principales psicólogos, médicos y científicos del mundo.

La atención plena ha sido útil para ayudar a la gente a lidiar con la vida de "piloto automático" que vivimos en el mundo moderno de hoy. Nos ayuda a estar siempre conscientes del presente. Esto es importante cuando se trata de enfermedades mentales como la depresión. Permitir que el subconsciente gobierne nuestras vidas da lugar a que una afección psicológica específica como la ansiedad entre en nuestra vida. Distraernos puede dejarnos abiertos a ser dominados por desafíos particulares. Si esto sucede, nuestra reacción seguramente será automática, y podemos reaccionar de forma exagerada y descarrilarnos. Cuando siempre estamos conscientes de nuestro presente y somos conscientes de todo lo que nos rodea, tenemos una mayor probabilidad de responder con calma a los desafíos, sucesos o situaciones individuales.

Con la ayuda de la atención plena, pensamos detenidamente, considerando todas las opciones disponibles antes de responder o actuar. Entonces, antes de actuar, reconocemos conscientemente a la gente, el medio ambiente y todo lo que se verá afectado por nuestra acción.

¿Qué es la TCBAT?

La Terapia Cognitiva Basada en la Atención Plena (TCBAT) es una combinación de varios aspectos de la terapia cognitivo-conductual y la atención plena.

Según los dos psicólogos, Philip Barnard y Jon Teasdale, la mente humana está compuesta de dos modos diferentes, el modo "*ser*" y el modo "*hacer*". Describieron el modo "hacer" como orientado a objetivos y está activo cuando usted encuentra una diferencia entre cómo quiere que sea una cosa y cómo se presenta la situación. Por otro lado, el modo "ser", acepta las situaciones tal como son sin hacer nada para cambiarlas. Continuaron diciendo que el "modo de ser" es el que está asociado con cambios emocionales duraderos. Entonces, se concluyó que para que la terapia cognitiva sea efectiva tendrá que apoyar no solo la conciencia cognitiva como la TCC, sino también el "modo de ser" de la mente. Creían que la terapia cognitiva solo podía ser efectiva cuando se usaba en combinación con la atención plena.

Un esfuerzo combinado de los psiquiatras Jon Kabat-Zinn, Zindel Segal y Mark William ayudó a combinar las diversas ideas nuevas de la terapia cognitiva con el programa de reducción del estrés basado en la atención plena de Kabat-Zinn. Esto llevó al nacimiento de la TCBAT.

El objetivo de la TCBAT es similar al de TCC en el sentido de que le ayuda a mantener una conciencia constante de sus reacciones y pensamientos. Esto le permite notar cualquier cambio que se produzca debido a la negatividad. Pero la TCBAT incluye algo adicional en el sentido de que le muestra cómo tomar conciencia del tiempo o los momentos en los que usted se siente desbordado/a ante cualquier negatividad.

Con esta terapia, puede manejar y controlar mejor la ansiedad y el estrés al ser más consciente de lo que está sucediendo en el momento presente. Entonces, en lugar de poner tanta atención en tratar de comprender sus pensamientos, con la TCBAT los acepta por lo que son sin ningún juicio; simplemente los deja pasar por su mente sin prestarles mucha atención ni darles mucho significado.

Una mayor conciencia del momento presente significa que es menos probable que cualquier detonante le pille desprevenido/a, por lo que puede desprenderse fácilmente de las preocupaciones o los estados de ánimo.

Diferencia entre la TCC y la TCBAT

Con la ayuda de la TCC, puede identificar y modificar patrones de pensamientos negativos que a menudo causan ansiedad y depresión.

Por otro lado, la TCBAT le enseña cómo identificar pensamientos negativos y saber con certeza que estos pensamientos son solo pensamientos, y nada más. La TCBAT también va más allá en la aplicación de la atención plena para ser consciente de lo que está sucediendo en el momento presente, como su pensamiento actual, sus sentimientos presentes y todo lo que está experimentando en el presente. Le ayuda a no ser tomado/a por sorpresa por ningún pensamiento negativo.

La TCC aplica la cognición para comprender cómo funciona el pensamiento negativo. A menudo se describe como "una terapia de pensamiento"; analiza sus pensamientos, sentimientos y reacciones. Aunque tiene en cuenta la respuesta de su cuerpo al estrés de los pensamientos negativos, es una terapia que se ocupa principalmente del proceso de pensamiento. El enfoque principal de la TCC es que usted evite mentalmente los pensamientos negativos.

Las técnicas aplicadas en son un poco diferentes a las utilizadas en la TCC, involucran cosas como concentrarse en la respiración, donde se pasan unos minutos con su atención únicamente en el proceso de su respiración, y exploraciones corporales, donde se dedica tiempo a observar las diferentes sensaciones y tensiones en su cuerpo durante las meditaciones sentadas. Debido a estas técnicas, a menudo se lo denomina "un proceso de sentimiento". Por tanto, la TCBAT es tanto experimental como analítica; está más centrada en el cuerpo que la TCC. El punto fundamental de la TCBAT es permitir que sus pensamientos vengan y luego dejarlos ir.

Similitudes entre la TCC y la TCBAT

Algunas similitudes entre la TCC y la TCBAT incluyen:

Ambos métodos le ayudan a gestionar sus pensamientos correctamente.

Ambos le hacen más resistente a los patrones de pensamiento, reacciones y sentimientos automáticos.

Ambos métodos de tratamiento requieren poco tiempo para lograr sus objetivos.

· Ambos son más adecuados como el único método de tratamiento para la ansiedad y la depresión leves, a diferencia de los planes de tratamiento para el abuso y el trauma que pueden requerir más de una forma de terapia y un período de tratamiento más prolongado.

Es importante señalar que ambos métodos de tratamiento son más beneficiosos después de una aplicación exitosa del tratamiento de terapia de conversación. La TCBAT es la más útil de las dos para la gente que tiene depresión a largo plazo y necesita un remedio para episodios recientes de depresión. Incluso después de que finaliza la terapia, los pensamientos negativos siguen conectados a estados de ánimo negativos en su cerebro y podrían activarse nuevamente.

Entonces, la TCBAT es una técnica que le proporciona poder monitorear esos desencadenantes y sus puntos de vista sobre situaciones que sirven como desencadenantes.

Beneficios de la TCBAT

Más control sobre sus pensamientos

La TCBAT ha ayudado a mucha gente con diversos problemas de salud mental. Actualmente, se aplica para enseñar a la gente cómo puede comprender mejor sus pensamientos, patrones y mecanismos. Esto les ayuda a reconocer las señales y síntomas que apuntan hacia un problema de salud mental.

MBCT le anima a ser consciente del presente en general, no solo durante el tiempo de las sesiones de terapia y mientras hace las meditaciones. Esto le permite vivir fuera de su cabeza, prestar más atención y conectarse con la gente que lo/la rodea. Con esta forma de vida, es menos probable que encuentre pensamientos negativos que puedan conducir a un problema de salud mental. La gente que practica la TCBAT deja ir los pensamientos depresivos en lugar de aferrarse a ellos.

Reducción de estrés

Además de la meditación, la respiración profunda es otra práctica de atención plena integrada en la TCBAT. Una respiración profunda es una técnica útil que calma el sistema nervioso en momentos de estrés. Puede resultar útil en momentos en los que tenga la necesidad de reaccionar ante esos factores estresantes.

El estrés, en general, se puede reducir con la ayuda de la TCBAT porque le brinda la capacidad de ser más consciente de sí mismo/a en el presente. Por lo tanto, su atención se centra en los asuntos que tiene en mano, sin dejarle tiempo libre para pensar demasiado y preocuparse por ciertas situaciones en el futuro o el pasado. Estos factores han permitido a los que practican la TCBAT ser más resistentes al estrés y lidiar mejor con cualquier situación estresante.

Estado de ánimo mejorado

Con el esfuerzo conjunto de la TCC y la TCBAT, puede aprender a mejorar su estado de ánimo y lidiar con la depresión. Incluso la gente con ansiedad y depresión puede aprender a aplicar técnicas de TCBAT para evitar que esos sentimientos menores de tristeza se conviertan en un estado de duelo más profundo.

La práctica constante de la atención plena ha demostrado ser útil para ayudar a la gente a conectarse con su propósito en la vida; por lo tanto, no tiene tiempo para sentirse inútil o perdida. Se debe a que la atención plena le enseña a la gente a estar y vivir en el presente y a estar más agradecida por la vida cotidiana. Cuando preste más atención a lo que está sucediendo en el presente en lugar de dejarse llevar por pensamientos o preocupaciones y distracciones externas, no solo estará más agradecido/a; también notará su valor para el mundo. Algunos estudios han demostrado que la atención plena es útil para desarrollar el área del cerebro que reduce la ansiedad y aumenta los sentimientos positivos.

Se ha demostrado a través de muchos estudios y mucha investigación que la TCC y la TCBAT son excepcionales para tratar la depresión y la ansiedad, entre muchos otros problemas de salud mental. Si está confundido/a acerca de qué método de terapia sería adecuado para usted, pida la opinión de su terapeuta.

Capítulo Nueve: Tres Técnicas de Meditación de Atención Plena Que Debería Conocer

La atención plena facilita entender sus pensamientos y patrones de comportamiento. Le anima a apreciar las pequeñas alegrías de la vida sin atascarse con el estrés habitual. Siendo consciente, se ajustará más y se juzgará menos a sí mismo/a, a los demás y a cualquier situación de la vida. Al descubrir la conexión entre la espiral descendente y el pensamiento negativo, ya no se sentirá desamparado/a y estará mejor equipado/a para lidiar con su vida. Se anima a dejar de albergar expectativas ridículamente altas de sí mismo/a mientras se permite quererse por lo que es.

Del capítulo anterior sobre la atención plena y su conexión con la TCC, debería haber entendido cómo la meditación de la atención plena es una forma eficaz de controlar nuestros sentimientos de estrés y ansiedad. Se puede usar para lograr un estado de relajación durante los ataques de pánico, ya que la atención plena ayuda a ralentizar los pensamientos acelerados mientras se concentra en el presente, deja ir la negatividad y calma tanto su mente como su cuerpo. Para comprender mejor estas técnicas, comencemos por comprender la meditación en sí.

Conceptos Básicos de la Meditación

La meditación implica permanecer en una posición relajada y concentrar su psique en una idea mientras la limpia de todas las demás. Su concentración puede estar en un sonido, o en su respiración, en contar o en nada. Un aspecto deseable de la meditación es que la mente no siga cada nuevo pensamiento que surge. La meditación, al ser popular, definitivamente tiene diferentes formas y estilos, pero todos siguen patrones específicos como se explica a continuación:

Mantener la mente calma

Están sucediendo muchas cosas en nuestro mundo y es bastante difícil mantener calma nuestra mente pensante. No obstante, con la meditación, es posible mantener la voz baja. Significa que no está concentrado/a en las cosas de su trato diario que le ponen en un estado de estrés, no se concentra en los problemas de su vida. Debe saber que, sin una práctica constante, le resultará difícil apagar estas voces dentro de su cabeza.

Estar en el momento

Es fundamental que aprenda a mantener la mente concentrada en el presente. Con la meditación es posible, ya que todas las formas de meditación implican centrarse en el presente. Estar en el presente consiste en experimentar cada momento, luego dejarlo ir y después pasar al siguiente. Esto requiere mucha práctica, ya que concentrarse en el momento puede ser difícil debido al tiempo que dedicamos a pensar en el futuro o contemplar el pasado.

Vale la pena señalar que la meditación se anuncia ampliamente como una práctica que mejora la salud. Las razones se mencionan a continuación:

Beneficios para la salud

La meditación ha proporcionado un gran número de beneficios positivos, desde reducir los síntomas del estrés hasta mejorar la inmunidad. Reduce los episodios de depresión y ansiedad. También mejora la concentración.

Beneficios sociales

Se ha informado que ayuda a mejorar las relaciones y también la creatividad. Esto contribuye en gran medida a reducir los casos de baja autoestima y juicio interior, que reducen la productividad individual. Gozar de estos beneficios le ayuda a dar lo mejor de usted en cualquier situación que se le presente, ya sea en el trabajo, la escuela o en casa.

Asequible

La meditación no es una de esas prácticas de autocuidado que requieran de muchos fondos; es prácticamente gratis. Sus ingresos no pueden evitar que disfrute de todos los beneficios que se obtienen de la meditación.

Productividad

La meditación solo requiere unos pocos minutos (¡tan solo cinco minutos!) al día para producir todos sus beneficios.

Juntando todas estas razones, le resultará más fácil ver por qué en la actualidad, la meditación se ha convertido en un complemento popular de las prácticas médicas.

Meditación con Atención Plena

La atención plena implica centrarse en el momento presente en lugar de pensar en el futuro o el pasado. Podría centrarse en una sensación en particular, no para que usted examine la sensación, sino para experimentarla tal como es. Otro ejemplo es concentrarse en un objeto, no para juzgarlo, sino para saborear la experiencia de la sensación que está obteniendo de él. En otros casos, podría concentrarse en su respiración.

Ciertos componentes individuales son cruciales para practicar la meditación con atención plena. Estos componentes incluyen:

Atención

Esta es su capacidad para poner selectivamente su atención o conciencia en solo una de las muchas sensaciones que actualmente bombardean su mente o cuerpo, durante un período prolongado sin distraerse. Imagine los miles de sentimientos que le están llegando en este momento; el viento que sopla contra su piel, el sonido del ventilador de techo, el zumbido del aire acondicionado, la presión de la superficie en la que está sentado, el sabor de su boca, la subida y bajada de su vientre, etc. Todos están exigiendo su atención, y es una habilidad sobresaliente poder concentrarse en solo uno durante algún tiempo sin distraerse. Suele ser difícil para la mayoría de la gente, ya que el mundo en el que vivimos está repleto de muchas cosas que llaman nuestra atención a medida que realizamos nuestras actividades en el trabajo y el hogar. ¡Se ha vuelto difícil sentarse a leer un libro durante solo 10 minutos!

Esto requerirá mucha práctica, pero valdrá la pena. Se recomienda que se mantenga alejado/a de distracciones como la computadora, la televisión, la radio y su teléfono inteligente cuando realice la meditación de atención plena.

Claridad Sensorial

El siguiente componente habla de cuan bien comprende la información que se transmite a partir de los datos sin procesar que se están ensamblando en su mente. A veces, lo que pensamos que sabemos de situaciones particulares no es así, y estos conceptos erróneos pueden provocar una ansiedad innecesaria. Por lo tanto, es fundamental que comprenda con calma su situación antes de actuar. Puede compararse con mirar a través de un microscopio al principio, se mira a través de menos aumentos. Más adelante, después de una comprensión profunda de la muestra con ese aumento, puede cambiar la lente a una de mayor aumento para apreciar mejor la muestra. Esto es para decirle que cuanto más practica, más claro ve.

Ecuanimidad

Esta es una habilidad crítica que implica experimentar sentimientos y sensaciones sin ser afectado/a o reaccionar emocionalmente frente a ellas. Esta habilidad es una forma de "descentrarse", que consiste en prestar atención y aceptar todos los pensamientos que llegan, pero sin reaccionar a ellos.

Técnicas de Meditación de Atención Plena

Todas estas técnicas siguen procedimientos específicos; tomar nota de una sensación particular, etiquetar su canal de conciencia y saborear su experiencia sin emitir juicios. "Canal de conciencia" se refiere a cómo se ha dado cuenta del sentimiento en el que está enfocado/a. En este punto, debe entender la diferencia entre conciencia interna y externa. Estos canales se ven tanto en la conciencia interna como en la externa, e incluyen:

Ver

La visión exterior se refiere a imágenes de objetos formados en la retina de los ojos, mientras que la visión interior se refiere a su imaginación.

Escuchar

La audición externa ocurre a través de nuestros oídos, mientras que la conciencia interna toca una melodía en nuestra mente o participa en un monólogo interno.

Sentir

El sentimiento externo habla de los diversos estímulos que puede sentir dentro y fuera de su cuerpo, mientras que el sentimiento interno habla de sus emociones como nerviosismo, miedo, ira, tristeza, felicidad, alegría, etc.

Dicho esto, algunas técnicas analíticas que debe conocer incluyen:

Tres minutos de espacio para respirar

Para realizar este ejercicio, puede pararse, sentarse o acostarse. Encuentre una posición cómoda para comenzar. El primer paso es tomar plena conciencia de sí mismo/a. Concéntrese en lo que está pasando en su mente y cómo se siente. Detenga cualquier actividad en la que estuviera involucrado/a y pase toda su conciencia de regreso a su cuerpo, pensamientos, sentimientos y respiración. Evite mover su cuerpo y concéntrese lentamente en usted mismo/a.

Al hacer esto, es posible que se encuentre con pensamientos o creencias negativos específicos presentes en su mente. Siempre que se encuentre con alguna negatividad, no intente ignorarla o evitarla. En cambio, permítase sentir lo que sea que esté sintiendo. No intente cambiar nada en esta etapa. En cambio, reconozca estos pensamientos y déjelos pasar. Ahora, repita este paso para cualquier otro sentimiento o sensación presente en su cuerpo. Siempre que note tensión en una parte específica de su cuerpo, reconózcala y siga adelante.

La segunda parte de este ejercicio es concentrarse en una cosa, y esa es la forma en que respira. Respire y concéntrese en la forma en que se mueve su abdomen. Siempre que inhala, su abdomen empuja hacia arriba y cuando exhala, cae. Permita que este paso ancle sus pensamientos y deje que el efecto de conexión a tierra le inunde. Una vez que haya logrado reunir y concentrar sus pensamientos y energía en sí mismo/a, puede comenzar a enfocar la sensación de conciencia a lo largo de su cuerpo.

Para realizar este ejercicio, puede configurar un temporizador si lo desea. Configurando un temporizador durante tres minutos, sabrá cuándo comenzar y finalizar el ejercicio. Lo mejor de este ejercicio es que se puede realizar en cualquier lugar y en cualquier momento. Siempre que empiece a sentirse ansioso/a, estresado/a o incluso preocupado/a, tómese un descanso de cualquier actividad que esté realizando y concéntrese en su respiración.

Estiramiento de atención plena

Una gran cosa acerca de la práctica de la atención plena es que puede hacer esto durante todo el día y también puede incorporarla fácilmente a sus rutinas de ejercicio. Antes de comenzar a hacer ejercicio, concéntrese siempre en estirar el cuerpo. Ayuda a aliviar cualquier tensión o ansiedad presente en su interior. El estiramiento es crucial porque ayuda a reducir el riesgo de lesiones mientras mejora su rendimiento físico. Además, también ayuda a revitalizar su cuerpo y prepararlo para el ejercicio que se avecina. Siempre que estira, aumenta el suministro de sangre y oxígeno a todas las células de su cuerpo. El estiramiento de la atención plena también aumenta su estado de conciencia al mismo tiempo que aporta equilibrio a su cuerpo físico.

La pandiculación puede parecer un proceso complicado, pero es un simple ejercicio de estiramiento. Este ejercicio consta de tres simples etapas. El primer paso es prestar atención a los músculos de su cuerpo mientras los contrae voluntariamente. La segunda fase consiste en liberar estos músculos lentamente y la tercera etapa es la relajación. Puede realizar este ejercicio en cualquier lugar, incluso estando acostado/a. Trate de contraer todos los músculos de su cuerpo, libérelos lentamente y luego sienta que la relajación le invade.

Mientras estira, asegúrese de estirar los músculos correctos; evite poner tensión innecesaria en sus articulaciones o músculos, y estire lentamente. Si sigue estas sencillas precauciones, puede asegurarse de no lesionarse al estirar ni causar ningún dolor.

Hay diferentes posturas de yoga que puede incluir en su ejercicio de estiramiento consciente. De hecho, la mayoría de las posturas de yoga incluyen algún tipo de estiramiento.

Escaneo del cuerpo

Para comenzar este ejercicio, puede recostarse horizontalmente en el suelo con el rostro y el torso hacia arriba o sentarse en una silla. Si está sentado en una silla, asegúrese de que sus pies estén firmemente plantados en el suelo mientras sus manos reposan sobre sus muslos. Elija una posición cómoda para comenzar el ejercicio.

Permita que su atención se concentre únicamente en su cuerpo y evite inquietarse o moverse durante este ejercicio. Solo haga movimientos deliberados cuando tenga que reajustar su posición.

Esta técnica utiliza principalmente su respiración para crear un centro de conciencia. Use su respiración para concentrarse en su cuerpo. No intente cambiar su forma de respirar; una vez que se hace consciente de su respiración, el siguiente paso es prestar atención a su cuerpo. Observe cómo se siente dentro de su piel y observe cómo se siente su cuerpo. Note cómo se siente la superficie sobre la que está acostado (o sentado), su entorno y la temperatura de su cuerpo. Mientras hace esto, sea más consciente y preste más atención a cualquier dolor, molestia, cansancio o sensación de hormigueo en diferentes partes de su cuerpo. Además, tome nota mental de las diferentes partes de su cuerpo donde no siente ninguna sensación o es extremadamente sensible.

Mientras realiza un escaneo corporal, debe concentrarse en cada parte de su cuerpo, desde la punta de los dedos de los pies hasta la coronilla. No ignores nada. Cambie lentamente su enfoque de una parte del cuerpo a otra y tome nota de cómo se siente.

Una vez que haya hecho un balance de cada parte de su cuerpo, es hora de finalizar el escaneo corporal. Para ello, vuelva lentamente su conciencia a su entorno. Cambie su enfoque a su respiración concentrándose en la forma en que la respiración entra y sale de su cuerpo. Es hora de abrir lentamente los ojos y volver al mundo real.

Atención Plena Diaria

La TCBAT prescribe diferentes técnicas de atención plena que puede realizar en su vida diaria. Estas actividades le ayudan a estar más consciente de su cuerpo, mente y cualquier emoción o sentimiento que experimente. Una vez que se da cuenta de todas estas cosas, es más fácil cambiar las creencias o emociones indeseables. La atención plena se puede practicar mientras se ducha, come, hace ejercicio, lava los platos, incluso mientras hace la cama por la mañana.

Como la atención plena requiere mucha práctica, practicar la atención plena todos los días es la mejor manera de adoptarla como estilo de vida. Aprovechar la oportunidad de practicar la atención plena cada vez que se le presente le ayudará a mantener un sentido saludable de conciencia y equilibrio a lo largo del día. Esto se ve en:

Ducharse conscientemente, consiste en mantener su atención en lo que puede ver, oír y sentir mientras se ducha. Mientras nos duchamos, la mayoría de nosotros tendemos a pensar en cosas diferentes. Evite hacer esto. Concéntrese solo en cómo se siente el agua en su cuerpo. Imagine que el agua se lleva todo tu estrés y ansiedades; concéntrese en limpiar su cuerpo físico y nada más. Preste atención a la temperatura del agua, la forma en que el jabón se siente en su cuerpo o cualquier otra sensación que experimente mientras se enjabona.

Comer conscientemente es mantener su atención en lo que sea que esté comiendo. Siempre que esté comiendo, asegúrese de que toda su concentración esté en la comida que consume. Deshágase de cualquier dispositivo electrónico u otras distracciones, lo que le permitirá concentrarse en la tarea de comer. Mastique lentamente la comida antes de tragarla. Aprenda a saborear cada bocado que coma. Es una excelente manera de ser más consciente del tipo de alimento que le da a su cuerpo.

El lavado consciente de la vajilla solo debe hacerse cuando tenga unos pocos platos para lavar. Lavar los platos con atención es observarse a sí mismo/a limpiando los platos sucios y escuchar los sonidos del lavado de platos, como el agua que fluye. Incluso puede prestar atención a los olores si está de acuerdo.

Hacer su cama conscientemente se hace moviéndose deliberadamente y con un propósito mientras hace su cama. Trate de hacer su cama con cuidado y deliberadamente. Si por lo general es bastante rápido/a y descuidado/a al hacer esto, comience a prestar atención a la tarea por hacer. Incluso, aunque sea una actividad bastante prosaica, es una excelente manera de tomar conciencia de sí mismo/a. Concéntrese en la textura de las sábanas, la suavidad del colchón o incluso la apariencia de las almohadas. Ponga todo en lo que está haciendo, por poco interesante que parezca.

Preste atención a su tono muscular, sus patrones de respiración y su forma de andar. Tendemos a quedar atrapados en las distracciones de la respiración pesada y el dolor durante el ejercicio; trate de tener una experiencia sin todo esto. Practicar la atención diaria es una oportunidad para mantener la conciencia y crear equilibrio a lo largo del día.

Es muy importante pasar tiempo con sus seres queridos, pero también necesita un poco de tiempo para usted. Tómese un descanso de todo y pase un tiempo consigo mismo/a. Durante "su tiempo", evite cualquier distracción; mantenga alejado su teléfono, no revise su correo electrónico ni mire televisión. Hay tiempo para volver a estas tareas más tarde. Por ahora, concéntrese en cómo se siente su cuerpo, sus pensamientos y cualquier sentimiento que esté experimentando. Olvídese del mundo exterior y sintonícese consigo mismo/a. Es una excelente manera de practicar el amor propio. Una vez que se dé cuenta de todo esto, será más fácil sanar su cuerpo.

Observación consciente es un ejercicio simple que le permite conectarse con todo lo que sucede en su entorno. La mayoría de nosotros tenemos prisa y nos perdemos las pequeñas cosas de la vida. Comience eligiendo un objeto presente en su entorno inmediato y concéntrese solo en ese objeto durante un par de minutos. Puede concentrarse en una flor, un árbol, una nube o cualquier otra cosa que quiera. Mientras hace esto, observe cuidadosamente todo lo relacionado con el objeto. Una vez que se sienta más tranquilo/a y no haya pensamientos que se desboquen en su cabeza, es hora de volver a su vida normal.

La conciencia plena ayuda a aumentar su conciencia, así como a desarrollar una apreciación por todas las actividades de rutina que realiza. Piense en cualquier actividad que realice varias veces al día. Quizás podría ser abrir una puerta, beber agua o cualquier otra cosa que simplemente haya dado por sentado. Deténgase un momento y piense en cómo se siente cada vez que realiza la actividad. ¿Cómo se siente cuando bebe agua? ¿Cómo se siente cuando enciende su portátil? La próxima vez que se encuentre con algo que le haga sonreír, aprenda a apreciarlo. Podría ser algo tan simple como compartir una comida con sus seres queridos o tener una cama cómoda para dormir por la noche. En lugar de pasar por su vida en piloto automático, tómese un par de minutos para apreciar todo lo bueno de su vida.

Escuchar conscientemente es la capacidad de escuchar sin ningún juicio ni prejuicio. Nuestras reacciones, percepciones y pensamientos sobre la mayoría de las cosas que vemos y escuchamos a diario se basan en nuestras experiencias pasadas. Una vez que aprenda la habilidad de escuchar conscientemente, podrá escuchar todo lo que encuentre desde una perspectiva neutral. Puede comenzar con algo tan simple como escuchar canciones. No juzgue una canción en función de su letra, género, artista, título o cualquier otra cosa. En cambio, simplemente escúchela y deje que su mente explore la música. Permítase perderse en el ritmo y el sonido. La idea es dejar de lado las nociones preconcebidas e intentar involucrarse en el presente.

La inmersión consciente ayuda a crear satisfacción en el presente. Se trata de vivir una rutina en lugar de simplemente hacer las cosas antes de pasar a otra cosa. No piense en ordenar el desorden como una tarea tediosa, y en su lugar, preste atención a todos los pequeños detalles relacionados con esta actividad. El objetivo es intentar encontrar nuevas emociones mientras se realizan tareas repetitivas. Cuando se da cuenta de todas las cosas que hace, su disposición a hacerlas aumenta mientras eleva su experiencia general.

La apreciación consciente es bastante sencilla. Tómese un par de minutos al día y observe cinco cosas que no haya apreciado en su vida diaria. Este ejercicio le ayuda a apreciar más todas las cosas aparentemente insignificantes de su vida. La mayoría de nosotros nos olvidamos de todas las pequeñas cosas de la vida porque estamos concentrados en alcanzar las metas. Aprenda a estar agradecido/a por cada aspecto de su vida. Probablemente tenga cosas que deseaba hace un par de años. Entonces, ¿por qué no está agradecido/a por todo lo que tiene ahora? En lugar de sentirse arrepentido más tarde, es mejor estar un poco agradecido ahora mismo.

Evite ser crítico/a. La atención plena es su capacidad para aceptar todo sobre usted mismo/a. Acepte los sentimientos, pensamientos y sensaciones que experimente. Incluso todas esas cosas que podría haber etiquetado como peligrosas y autodestructivas siguen siendo parte de usted. En lugar de ignorarlas o guardarlas en un rincón oscuro de su mente, acéptelas. La simple aceptación de estas cosas no las hará realidad. Aprenda a comprender que sus pensamientos son solo pensamientos. A menos que actúe sobre ellos, no se volverán reales. Por lo tanto, no se deje abrumar por todo esto. Una vez que deje ir todo esto, se sentirá mejor consigo mismo. Todo el estrés que solía experimentar se desvanecerá lentamente.

Independientemente de la tarea que esté realizando, asegúrese de que toda su atención esté centrada en la tarea que tiene entre manos y nada más. Al hacer esto, no solo podrá dedicar el 100% a las actividades que realiza, sino que también mejorará su autoconciencia. Si desea aumentar su eficiencia y efectividad, comience a ser consciente todos los días.

Otras Prácticas Meditativas

Otras prácticas meditativas generalmente involucran dos categorías básicas de enfoque: la que se concentra y la que no concentra. La que se concentra habla de tener un objeto particular en el centro, como la llama de una vela, mientras que la que no concentra tiene un enfoque más amplio, como los sonidos en su entorno. Sin embargo, tenga en cuenta que algunos de estos enfoques tienen una superposición de categorías. A continuación, se muestra una breve descripción de algunas de estas prácticas:

Meditación Básica

La meditación implica sentarse en una posición relajada purgando su mente o centrando su psique en nada.

Meditación Enfocada

Esta es solo el tipo básico, pero tiene algo en lo que se está enfocando/a, aunque no debe concentrar sus pensamientos o atención en ese algo.

Meditación Espiritual

Aunque la meditación no es específica de ninguna religión, puede ser una práctica espiritual. Para mucha gente, orar para buscar guía o sabiduría interior puede ser una forma de meditación.

Cosas para Tener en Cuenta mientras Medita

● La práctica constante es más importante que la práctica inconsistente prolongada, pero para obtener los mejores resultados, es aconsejable tener una práctica diaria breve con un ejercicio largo ocasional, como ir a un retiro de atención plena.

● La práctica habitual es más importante que un método perfecto, ya que cualquier meditación es mejor que ninguna. Así que no pierda el tiempo tratando de averiguar los detalles de la técnica; ¡comience! todo lo demás vendrá solo.

● Acepte que es normal que su mente deambule incluso cuando medita.

Para concluir, no espere más, póngase en una postura cómoda para sentarse y comience a meditar.

Capítulo Diez: ¡No Entre en Pánico! Cómo Detener un Ataque de Pánico con Atención Plena

Los ataques de pánico son oleadas repentinas y severas de miedo, pánico y ansiedad; son abrumadores, y la gente con un ataque de pánico puede mostrar síntomas tanto físicos como emocionales. Implica sentimientos repentinos de terror que atacan sin previo aviso y pueden ocurrir en cualquier momento, incluso durante el sueño. Los ataques de pánico pueden hacerle pensar que se está muriendo, que se está volviendo loco o que está por tener un ataque cardíaco. Sin embargo, esto podría no ser real; el miedo y el terror pueden no estar relacionados con lo que sucede a su alrededor y no están en proporción a la situación real.

Señales y Síntomas

Los ataques de pánico se presentan con síntomas como dificultad para respirar, temblores, sudoración profusa y pulso acelerado. En otros casos, puede experimentar dolor en el pecho o sentirse separado de sí mismo.

Los ataques de pánico pueden ocurrir cuando está calmo/a o ansioso/a. Aunque el ataque de pánico es un síntoma del trastorno de pánico, es normal tener ataques de pánico en el contexto de otros trastornos psicológicos. Por ejemplo, si tiene un trastorno de ansiedad social, es posible que tenga un ataque de pánico antes de pronunciar un discurso en una conferencia. Si tiene un trastorno obsesivo-compulsivo, es posible que tenga un ataque de pánico cuando se le impida participar en un ritual. Los ataques de pánico no son agradables y pueden afectar el comportamiento social.

Los ataques de pánico son la aparición de un miedo o malestar severo que alcanza el punto más alto en minutos. Puede saber si está teniendo un ataque de pánico si tiene al menos cuatro de los síntomas siguientes:

Dificultad para respirar

Sensación de asfixia

Dolor en la región del pecho

Inestabilidad y náuseas

Corazón palpitante, palpitación clara o frecuencia cardíaca acelerada

Temblores o agitación y sudoración

Problemas abdominales

Mareos, sensación de desvanecimiento o desmayo

Parestesia (sensación de entumecimiento u hormigueo)

Sentimientos de desapego de la realidad o de uno mismo

Escalofríos

Tener miedo de perderse

Ataque de Pánico Versus Trastorno de Pánico

Tener un ataque de pánico no significa necesariamente que tenga un trastorno de pánico son bastante diferentes. Uno de cada tres adultos experimentará al menos un ataque de pánico en su vida, pero la mayoría de ellos no va a tener un trastorno de pánico.

Un ataque de pánico puede provenir de estar estresado. Algunas otras enfermedades, como las fobias o el trastorno de estrés postraumático, también pueden presentarse con los síntomas de los ataques de pánico. Por ejemplo, en el trastorno de estrés postraumático, puede ocurrir un ataque de pánico cuando una persona regresa al lugar donde ocurrió el trauma. Esta gente suele tener miedo del impacto que pueda causarles y no del ataque de pánico en sí.

Cómo Saber si Padece un Trastorno de Pánico

Hay varias formas de ayudarle a determinar si realmente tiene un trastorno de pánico y no simplemente está experimentando un ataque de pánico. Algunos de estos incluyen:

- Si le pasa muchas veces

- Si es propenso a experimentar mucho miedo a sufrir otro ataque

- Si suele aparecer de forma inesperada

- Si se encuentra sentado/a cerca de las salidas o los baños, o sea que tenga una ruta de escape fácil en caso de que sufra un ataque

- Si tiene miedo de que sucedan ciertas cosas malas si le da un ataque, como sentirse avergonzado en público

- Si evita ubicaciones o situaciones específicas y solo se permite experimentarlas si tiene un amigo o familiar con usted o a ciertos artículos como medicamentos

- Si evita las actividades físicas, la comida o las actividades del día a día porque teme que puedan desencadenar un ataque de pánico

- Si tiene uno o más de estos síntomas, sería una buena idea consultar a un médico

Ataque de Ansiedad Versus Ataque de Pánico

La mayoría de la gente usa los términos ansiedad y ataque de pánico indistintamente, pero son dos experiencias diferentes. El DSM-5 (Manual Diagnóstico y Estadístico de los Trastornos Mentales, 5a edición) describe las características del trastorno de pánico o los ataques de pánico que ocurren debido a otro trastorno mental. Los ataques de pánico comienzan a disminuir después de alcanzar su nivel máximo de intensidad a los 10 minutos. Por el contrario, la ansiedad se utiliza para describir una característica central de múltiples trastornos de ansiedad diferentes. Los síntomas que resultan de estar en un estado de estrés (como inquietud, dificultad para respirar, aumento de la frecuencia cardíaca y dificultad para concentrarse) pueden sentirse como un ataque, pero generalmente no son tan intensos como los experimentados en el punto álgido de un ataque de pánico.

A quién afecta

El ataque o trastorno de pánico puede afectar a cualquier persona, pero hay ciertos grupos a los que afecta con más frecuencia que a otros.

- Mujeres: como la mayoría de los otros trastornos de ansiedad, las mujeres maduras tienen más probabilidad de experimentar un ataque o trastorno de pánico que los hombres adultos.

- Adultos: el trastorno de pánico suele aparecer a mediados de los veinte años, aunque puede ocurrir a cualquier edad. La mayoría de la gente con un trastorno de pánico experimentaron el inicio antes de los 33 años. Aunque puede existir en los niños, a menudo no se nota hasta que maduran.

- Gente que padece una enfermedad crónica: la mayoría de la gente con ataques o trastornos de pánico informa que le han diagnosticado al menos otra enfermedad física o mental crónica.

● Tiene un mayor riesgo de tener un trastorno de pánico si tiene antecedentes familiares.

Causas

La gente con genes específicos es susceptible al trastorno de pánico. Sin embargo, no se han identificado los patrones genéticos particulares asociados con una alta susceptibilidad. Usted tiene un mayor riesgo de desarrollar ataques de pánico si a uno o a ambos padres le han diagnosticado depresión, ansiedad o trastorno bipolar.

Los ataques de pánico pueden desencadenarse por:

● Estrés laboral

● Estrés social

● Varias fobias

● Abstinencia de drogas o alcohol

● Enfermedades o dolor crónico

● Medicamentos o suplementos

● Conducir

● Cafeína

● Recuerdos de traumas graves que sucedieron en el pasado.

Duración de un Ataque de Pánico

Aunque el tiempo varía de individuo a individuo, los ataques de pánico generalmente alcanzan su punto más alto en diez minutos o más, y luego los síntomas comienzan a disminuir. Rara vez duran más de una hora, y la mayoría dura alrededor de treinta minutos.

¿Con qué frecuencia ocurre un ataque de pánico?

Es diferente para diferentes personas, puede tener un ataque de pánico y nunca experimentar otro, y puede tener ataques una vez al mes o incluso varias veces a la semana.

¿Puede un ataque de pánico matarle?

Los ataques de pánico causan diferentes problemas y muchas personas sienten que están a punto de morir cuando los experimentan. Sin embargo, tener un ataque de pánico no puede matarle.

Formas de Detener un Ataque de Pánico

La atención plena está estrechamente relacionada con la meditación y se puede practicar en cualquier momento, ya sea caminando, descansando o haciendo ejercicio. La atención plena es como la meditación en movimiento. La gente con atención plena es optimista sobre el presente y mantiene la mente abierta. No están contemplando ni pensando en cosas del pasado, ni están preocupados por lo que les depara el futuro. La atención plena requiere que mantenga una mente sin preocupaciones. Necesitará concentrar su atención y su percepción desde el interior de su cabeza hacia fuera porque hay muchas cosas más emocionantes en el exterior. Puede practicar la atención plena mientras camina y trabaja al aire libre y practica deportes. Es la atención plena lo que le ayudará a desviar su atención del dolor sufrido durante el ejercicio a tener una sensación agradable. La atención plena cambiará su perspectiva de cualquier situación a la que la aplique, y la práctica constante de la atención plena eventualmente mejorará sus patrones de pensamiento y su mentalidad general.

Aquí hay algunos pasos para detener un ataque de pánico:

- Respire profundamente
- Reconózcalo como un ataque de pánico
- Cierre los ojos

- Practique la atención plena
- Concéntrese en un objeto
- Relaje los músculos
- Encuentre su lugar donde se siente feliz
- Haga ejercicio liviano
- Repita su mantra
- Tome benzodiazepinas

Reconozca que es un ataque de pánico y no un ataque al corazón

Los ataques de pánico vienen con el síntoma de pensar que tiene un peligro por delante o que se está muriendo. Estos síntomas pueden dar miedo, pero lo primero que debe hacer es eliminar ese miedo y reconocer que simplemente está sufriendo de un ataque de pánico. Asegúrese de que no tenga un destino inminente y acuérdese que es temporario, pasará y se sentirá bien. Esta aceptación le permitirá concentrarse en otras técnicas para tratar sus síntomas.

Respiración profunda

La primera forma práctica de lidiar con un ataque de pánico es practicar la respiración profunda. Concéntrese en respirar profunda y lentamente por la nariz hasta que el aire le llene el pecho, luego expire por la boca. Después de unas pocas respiraciones, debe relajarse para recuperar el ritmo. La esencia de la respiración profunda es la respiración controlada. Es vital que cuente el número para una respiración óptima y para prevenir la hiperventilación. La hiperventilación puede empeorar otros síntomas; sin embargo, si puede controlar su respiración haciendo un recuento, es menos probable que la experimente.

Elimine cualquier estímulo visual

Un ambiente ruidoso, con varios estímulos visuales, puede desencadenar el ataque de pánico. Una vez que sienta que tiene un ataque de pánico, cerrar los ojos reducirá estos estímulos y evitará captar más información visual para que pueda concentrarse fácilmente en respirar y controlar el ataque.

Enfóquese en un objeto

Centrarse en un solo objeto puede ser beneficioso durante un ataque de pánico. Busque un objeto que esté cerca suyo y analícelo cuidadosamente. Tratar de explicarlo hará que su mente se concentre en el objeto y dejará de pensar en otros síntomas del ataque de pánico. Por ejemplo, puede optar por analizar cuidadosamente cómo está colocado un zapato en un estante. Si está mal colocado o no encaja, puede intentar describirse cómo debería ser para usted o qué tipo de zapato encajaría en su lugar. Con este enfoque rápido, cualquier síntoma de pánico que sienta puede desaparecer.

Atención plena

Un ataque de pánico puede hacer que se separe rápidamente de la realidad. Mantener su mente en el presente puede desviar sus sentidos de la intensidad de la ansiedad. Puede asignase una pequeña tarea. Identifique cuatro cosas que le rodean, sienta la textura de tres objetos, escuche dos sonidos diferentes o huela algo que pueda desencadenar un recuerdo. Este ejercicio tiene como objetivo mantenerle conectado/a a la realidad y no pasar de una preocupación a otra.

Técnicas de relajación muscular

Una técnica popular para hacer frente a los ataques de pánico es la relajación muscular. A veces, sus músculos pueden ponerse tensos inconscientemente en respuesta a lo que cree que es una situación peligrosa. Las técnicas de relajación muscular le ayudan a controlar la respuesta de su cuerpo. En esta técnica, flexione repetidamente los músculos y luego relájelos. Después de la relajación, debe permanecer sentado/a para poder volver a estar alerta. Esta técnica es más efectiva cuando la ha practicado antes de que ocurra un ataque de pánico.

Lugar feliz

Probablemente tenga un lugar o una vista que le haga sentir completamente relajado/a. Cuando tiene un ataque de pánico, puede cerrar los ojos e imaginarse en su lugar feliz. Puede crear una imagen mental de la hermosa vista que le llegó cuando estaba en el avión, o de la tranquilidad que siente cada vez que escucha música en la playa. Sin embargo, trate de no pensar en áreas ruidosas como un parque concurrido o una calle llena de gente, incluso si estos son lugares de los que disfruta en su vida diaria.

El mantra interno

¿Alguna vez ha visto a alguien a punto de tener un ataque de pánico simplemente cerrar los ojos y empezar a mover los labios? Lo más probable es que esté repitiendo mentalmente una frase o dos que les ayude a afrontar el ataque. La repetición de un mantra, incluso sin pronunciarlo en voz alta, puede ser relajante y ke da algo a lo que aferrarse durante un ataque de pánico. Encuentre uno que le venga bien y que pueda recordar fácilmente; repítalo continuamente hasta que sienta que el ataque de pánico comienza a disiparse.

Ejercicio liviano

Las endorfinas son un salvavidas. Cuando nuestro cerebro libera esta sustancia química en nuestro torrente sanguíneo, nos sentimos felices y con energía. El ejercicio liviano hace maravillas cuando se trata de inundar nuestro sistema con endorfinas, y esto finalmente mejora nuestro estado de ánimo drásticamente. Puede elegir un entrenamiento leve que sea suave para el cuerpo cuando esté estresado, como dar un paseo o tal vez un trote rápido por el parque.

Benzodiazepinas

Aunque las benzodiazepinas pueden ser adictivas, son un medicamento que puede ayudarle a tratar los ataques de pánico. Solo recuerde que el cuerpo puede adaptarse fácilmente a con el tiempo y, por lo tanto, solo debe usarse en raras ocasiones y en casos de necesidad urgente. Cuando está teniendo serios ataques de pánico y puede sentir que se acerca uno en la peor de las situaciones, es entonces cuando le resultarán útiles.

Llevar un diario

Mantener una nota de lo que sucede cada vez que se pone ansioso/a o tiene un ataque de pánico puede ayudarla a detectar los patrones que desencadenan estas experiencias para usted y esto, a su vez, le ayudará a pensar en cómo lidiar con estas situaciones en el futuro. También puede intentar anotar los momentos en los que puede controlar su ansiedad con éxito; esto, a su vez, puede ayudarle a que controla más el estrés que siente.

Cómo ayudar a alguien con un ataque de pánico

Si alguna vez se encuentras con una persona que sufre un ataque de pánico, no tema. No debe aumentar el estrés de la persona entrando usted en pánico o gritándole. En cambio, puede probar algunas de estas formas de ayudar.

- Mantenga la calma, no grite ni le agregue su miedo a la angustia de la persona.

- Hágale preguntas. Si no es la primera vez, pregúntele si usa ciertos medicamentos y si puede ayudarle con ellos.

- No crea que sabe todo lo que está sucediendo. Pregúntele por la causa del pánico y qué necesita.

- Sea alentador/a y positivo/a al hablar con oraciones simples que pueda entender fácilmente.

- Evite que la persona entre en hiperventilación animándola a respirar más lenta y profundamente.

También puede decirle cosas como:

- "¿Qué puedo hacer para ayudarle a superar esto?".

- "Lo está haciendo bien y estoy orgulloso de usted.

- "Este ataque no es peligroso para nada, aunque puede dar miedo".

Adopte este sencillo enfoque y descubrirá que puede:

- Reducir el estrés en una situación muy estresante.

- Evite que suceda lo peor en la situación.

- Ponga freno a una experiencia complicada.

Puede ayudar a alguien a recuperarse de un ataque de pánico al:

- Darle a la persona la autonomía para proceder en la terapia a su propio ritmo.

- Ser paciente y abordar todos los esfuerzos hacia la recuperación, aunque la persona puede no cumplir con todos los objetivos.

- Evitar cosas o situaciones que puedan provocarle ansiedad.

- Sin entrar en pánico, incluso cuando la otra persona entra en pánico.

Está bien que este preocupado/a y ansioso/a, pero puede controlarse a sí mismo/a y a la situación.

Afortunadamente, el trastorno de pánico y el ataque de pánico es una afección tratable, incluso hasta el punto de desaparecer por completo. La psicoterapia y los medicamentos se han utilizado como tratamientos eficaces, ya sea solos o combinados. Si es necesario otro medicamento, su médico puede recetarle medicamentos para la ansiedad. Existen ciertos antidepresivos o medicamentos anticonvulsivos que también tienen propiedades ansiolíticas y un tipo de medicamento para el corazón conocido como betabloqueantes, que ayuda a prevenir y controlar los episodios del trastorno de pánico.

Capítulo Once: Cómo Prevenir una Recaída

Desliz: un desliz es una vuelta corta a sentirse decaído/a o a sus viejos hábitos. Es una situación común y temporal.

Recaída: a diferencia de un desliz, una recaída es un deterioro o un regreso completos a su estado de salud inicial después de una mejora temporal.

Por ejemplo, tenía fobia a las arañas y ahora sabe que es mejor no gritar al ver una. Un poco, se tranquiliza, respira, se dice algunos pensamientos para hacer frente y gradualmente ignora a la araña. Entonces, si encuentra una araña en su habitación un día y grita, es un error. Si luego vuelve a gritar y correr cada vez que ve una araña, entonces podemos llamarlo una recaída.

Los deslices pueden progresar a recaídas, pero esto no debería suceder necesariamente. Puede evitar que un desliz se convierta en una recaída.

¿Cuándo un Desliz se Convierte una Recaída?

La creencia generalizada de que lo que se dice a sí mismo después de un fracaso puede recomponerlo/a o quebrarlo/a es muy aplicable aquí. Lo que piense y se diga a sí mismo después de un desliz puede llevarle de regreso al camino correcto o provocar una recaída. Ver un desliz como un fracaso puede enfermarle y provocar una recaída. Una mejor perspectiva es que si antes pudo tener bienestar emocional, puede volver a tenerlo; procese lo que sucedió antes y aprenda de su error.

Volviendo a nuestro ejemplo de la fobia a las arañas: si, después de evitar la araña todo el día, se dijera: "Parece que estoy recuperando viejos hábitos; ¡necesito mejorar mañana y recuperarme!" descubriría que su lapsus probablemente disminuiría o se detendría por completo, y ahora puede enfrentar sus ansiedades y miedos de frente. Si evitó las arañas todo el día y al final del día se dijera: "Todo mi arduo trabajo es un desperdicio, ahora estoy aquí de nuevo. ¡Ay, ¡soy un idiota! ¿Por qué lo intento cuando no tiene cura?". Esto no es realmente útil y no ayudará a su recuperación.

¿Puedo prevenir deslices y recaídas?

Sí, puede prevenir lapsos y recaídas, y aquí hay siete pistas que puede utilizar:

No renuncie a la práctica; la mejor manera de prevenir un error es practicar regularmente sus habilidades de TCC. Si la practica con regularidad, estará en buena forma para manejar cualquier situación que pueda enfrentar.

Compréndase a sí mismo/a (señales de peligro). La recaída no ocurre de repente. Ocurre durante un período de tiempo. Prevenir la recaída entendiéndose a sí mismo no es complicado. Entiéndase a sí mismo identificando sus desencadenantes, pidiendo ayuda y compartiendo sus sentimientos.

Nuevos desafíos. Todo el mundo es una obra en progreso y usted no es una excepción. Esto significa que siempre existe la posibilidad de mejorar, y puede trabajar sobre usted mismo y vivir una vida más plena. Será menos fácil retroceder a sus viejas costumbres si trabaja deliberadamente en nuevas formas de superar su ansiedad. Una excelente manera de evitar lapsos es desafiarse a sí mismo con regularidad y afrontar nuevas situaciones de miedo. Haga una lista de casos que le parezcan atemorizantes y comience a ponerse ansioso cuando piense en ellos y trabaje sobre ellos.

Aprenda de Sus Experiencias Pasadas. Los deslices no son sinónimo de fracaso, más bien son oportunidades para aprender y mejorar. Averigüe la situación que siempre le llevó a cometer un error y haga un plan que le ayude a afrontar mejor esas situaciones en el futuro.

Como se dijo anteriormente, lo que se diga a sí mismo/a después de un desliz puede afectar su comportamiento. Tenga algunas cosas positivas que decirse a sí mismo/a. La TCC le ha ayudado y no puede deshacerse de todo lo que ha aprendido. Volver al principio significa tener ansiedad y no saber cómo manejarla. Volver a practicar sus habilidades de TCC le ayudará a dominar su ansiedad nuevamente en poco tiempo.

Sea amable con usted mismo/a; recuerde que los deslices no son el fin del mundo, tómelo con calma y aprenda. Nadie está por encima de cometer errores; todos cometemos errores. Todos tratamos de hablar amablemente con la gente, así que haga lo mismo consigo mismo/a; no se diga cosas duras a sí mismo. Los deslices pueden ser una bendición a veces disfrazada porque tiene la oportunidad de aprender que puede volver a diseñar una nueva fórmula para lidiar con su situación.

Diviértase; asegúrese de tomarse siempre tiempo para descansar y relajarse de todo el arduo trabajo que está haciendo. Apréciese a usted mismo; cómprese una buena comida, compra algo nuevo o pase el rato con sus amigos. También puede recompensarse mimándose y tomándose un tiempo para relajarse.

Desencadenantes de la Depresión

La gente que tiene antecedentes de depresión puede tener desencadenantes que le provoque un episodio depresivo. Sin embargo, un evento que sea estresante para una persona no significa que desencadenará la depresión. Los desencadenantes varían de una persona a otra; lo que es difícil y estresante para usted puede resultar fácil para los demás.

Los Posibles Desencadenantes de la Depresión Incluyen:

Sucesos tristes

Varias situaciones de la vida, como la muerte de un ser querido o el trágico final de una relación muy apreciada, pueden desencadenar la depresión. Según un estudio, el 20% de la gente entra en depresión después de este tipo de pérdida.

Detener el tratamiento

La mayoría de la gente abandona el tratamiento después de sentir que sus síntomas están mejorando. Un alto porcentaje de esa gente ve que sus síntomas vuelven a aparecer gradualmente y puede entrar en otro episodio depresivo. Sorprendentemente terminar su tratamiento puede reducir su riesgo de recaída.

Eventos traumáticos

Recordar eventos que han causado un trauma en el pasado puede provocar una recaída. La gente que han tenido depresión como resultado de ataques o desastres tiene un alto riesgo de sufrir otro episodio.

Afecciones de salud

La gente a la que le han diagnosticado una enfermedad particular puede perder su autoestima y confianza. Pueden entrar en pensar demasiado y, en consecuencia, se deprimen. Si se encuentra en esta categoría, cuide su afección y evite que se apodere de su vida. Esto le dará control sobre la depresión.

Problemas financieros

Los problemas de dinero son causas frecuentes de preocupación. Una forma de evitarla es practicar un estilo de vida económico saludable. Arme un presupuesto y manténgase fiel al mismo. Además, es posible que desee crear un plan de ahorro, para no tener la tentación de gastar todo su dinero a la vez. Asista a programas que no cuestan una fortuna para que pueda pasar tiempo con familiares y amigos. Una mayor estabilidad financiera puede reducir el riesgo de sufrir una recaída.

Otros factores que debe identificar y evitar incluyen:

Cambios hormonales

Comportamientos adictivos

Problemas sexuales

Malos hábitos de sueño y dieta

Sentirse estresado/a y abrumado/a

Formas de Minimizar los Desencadenantes de la Depresión

No todos los desencadenantes de la depresión son inevitables; algunos pueden evitarse.

Es mejor que aprenda a encontrar su camino alrededor de estos factores desencadenantes tanto como pueda. Si comienza a sentirse abrumado/a, aquí hay algunos pasos que pueden ayudarle:

Manténgase positivo/a

Encuentre formas de mejorar su autoestima y dígase regularmente palabras de aliento.

Sea social

Comuníquese con amigos, familiares y hágalo cuando comience a sentir que sus síntomas se vuelven abrumadores.

Evite el alcohol

Existe la falsa creencia de que el alcohol le hace sentir mejor; aunque pueda parecerlo, la verdad es que puede empeorar su depresión.

Las Primeros Señales de una Recaída de la Depresión

Si ha tenido antecedentes de depresión, los síntomas pueden volver a aparecer y provocarle preocupación; es totalmente comprensible. La gente que ha experimentado depresión antes puede tener una recurrencia después de un período de tiempo. Este período puede variar de semanas a años, a veces muchos años después que haya ocurrido. Si puede detectar las señales de alerta tempranas, es posible que pueda evitar que ocurran episodios graves.

Aproximadamente la mitad de la gente que supera un episodio de depresión por primera vez se mantendrá bien. Para otros, la depresión puede reaparecer algunas veces a lo largo de su vida. La gente tiene diferentes grados de recurrencia; algunos experimentan tristeza o simplemente quieren evitar las actividades diarias. Sin embargo, si tiene estos sentimientos casi a diario durante más de dos semanas y comienza a afectar su vida laboral o social, es posible que esté experimentando depresión.

Dos formas en que puede regresar la depresión son:

Cuando los síntomas comienzan a aparecer nuevamente o empeoran durante la recuperación de un episodio anterior, podemos decir que se avecina una recaída. Es probable que ocurra una recaída dentro de los dos meses posteriores a la interrupción del tratamiento.

La mayoría de las recurrencias ocurren dentro de los primeros seis meses después de la recuperación de episodios anteriores.

Alrededor del 20% de la gente suele experimentar una recurrencia, pero esta puede aumentar cuando la depresión es grave.

Tenemos algunos trastornos similares a la depresión que pueden reaparecer con frecuencia. Estos incluyen:

El Trastorno afectivo estacional (TAE): el TAE ocurre principalmente durante los meses de invierno, debido a la disminución de la luz solar.

Síndrome de disforia premenstrual (SDP): el SDP es una forma grave del síndrome premenstrual.

Las Primeras Señales de Recaída en Depresión

Algunas personas experimentan síntomas de depresión que ocurren una vez; para otros, pueden ocurrir una y otra vez. Es esencial que preste atención a sus síntomas cuando se presenten, ya que esto le ayudará rápidamente a detectar una posible señal de recaída. Las primeras señales de que podría tener una recaída incluyen:

Tener trastornos extremos del sueño; sueño excesivo o falta de sueño

Pérdida de interés en actividades que le gustaba hacer antes

Un sentimiento opresivo de tristeza y ansiedad

Problemas de memoria

Sentir remordimientos por sucesos pasados

Pensamientos o intentos de suicidio

Evitar las conversaciones sociales y las relaciones con la gente

Extremos del apetito que conducen a un aumento o pérdida excesiva de peso

Prevención del Suicidio

Las personas que se suicidan deben haber hablado de ello una o más veces en sus conversaciones, sin importar cuán serio sonara o no. No ignore estas señales. Muchas de estas personas intentan buscar ayuda y quieren que el dolor se detenga. Tome en serio cualquier charla sobre el suicidio y trate de ceder a su grito de ayuda. Aquí hay algunos consejos para responderle a alguien si nota alguna señal de suicidio.

Escuche su conversación con sinceridad y, si no está seguro de que sea un suicida, pregúntele amablemente.

Responda rápidamente al riesgo de suicidio severo. Llame a un centro de crisis local, llame al 911, retire los objetos dañinos del área y no le deje solo/a.

Obtenga atención profesional y tratamiento de seguimiento.

Si tiene pensamientos suicidas, no utilice conversaciones suicidas para darle a alguien una idea de que está pensando en el suicidio. En cambio, ábrase honestamente y podrá salvarse.

Consejos para Prevenir una Recaída

Las personas que sufren episodios de depresión pueden tener sentimientos intensos y abrumadores. Las siguientes estrategias pueden ayudar a prevenir la recaída en la depresión:

Tener relaciones de apoyo.

Evitar el aislamiento. Es imperativo rodearse de gente comprensiva, amable y capaz de ayudar.

Evitar y modificar los patrones de pensamiento depresivos.

La TCC puede ayudarle a cambiar su estilo de pensamiento. La mayoría de la gente que sufre de depresión tiene patrones de pensamiento negativos. Estos patrones se pueden cambiar, y las técnicas de TCC que hemos discutido pueden serle útiles para toda la vida.

Teme los medicamentos que le han recetado.

Trabaje junto con su psiquiatra y siga cualquier patrón de tratamiento que le den.

Esté preparado/a para una recaída. Es aconsejable planificar la recaída y actuar sobre las señales tan pronto como aparezcan.

Corregir y Afrontar una Recaída

Volver a reacciones de ansiedad inútiles y viejos patrones de pensamiento puede significar que el tratamiento inicial no está funcionando de manera efectiva. Le recomendamos que busque el consejo de su médico y preferiblemente cambie su estrategia de tratamiento. Otra opción de tratamiento es el uso de medicamentos como antidepresivos o estabilizadores del estado de ánimo con receta médica. Si ha estado tomando medicamentos anteriormente y parece que no están funcionando, puede hablar con su médico sobre un cambio en la dosis.

Conclusión

La eficacia de la TCC es una de las principales razones por las que se utiliza en todo el mundo para mejorar la salud mental. Atrás quedaron los días en que los médicos y terapeutas solían centrarse únicamente en los medicamentos y otros productos farmacéuticos como tratamiento.

La TCC puede ayudar a tratar la ansiedad, los trastornos de la personalidad, la depresión y otros problemas de comportamiento asociados con la salud mental.

Dar prioridad a su salud mental es tan importante como cuidar su salud física. Un cuerpo sano no le servirá de mucho si su mente está continuamente plagada de negatividad. Siempre puede buscar ayuda y probar la terapia cognitivo-conductual para mejorar su bienestar mental. Ahora que tiene toda la información que necesita, ¡es hora de empezar lo antes posible!

¡Gracias y le deseo todo lo mejor!

Vea más libros escritos por Heath Metzger

Referencias

Ben, M. (2019). En profundidad: Terapia cognitivo-conductual. Obtenido de

https://psychcentral.com/lib/in-depth-cognitive-behavioral-therapy

Rosy B y col. Qué esperar de la TCC. Obtenido de http://cogbtherapy.com/what-happens-in-cbt

Enfermedad mental. Obtenido de https://www.mayoclinic.org/diseases-conditions/mental-illness/symptoms-causes/syc-20374968

Manual diagnóstico y estadístico de Trastornos Mentales DSM-5ª ed. Arlington, Va.: Asociación Estadounidense de Psiquiatría; 2013

Equipo editorial de Healthline y revisado médicamente por Timothy, J. (2017). Señales de depresión. Obtenido de https://www.healthline.com/health/depression/recognizing-symptoms

Erica, J. (2018)   11 señales y síntomas de los trastornos de ansiedad. Obtenido de https://www.healthline.com/nutrition/anxiety-disorder-symptoms#section2

Deanna, R. (2016). Cómo Crear Metas Alcanzables Para su Bienestar Mental. Obtenido de https://www.goodtherapy.org/blog/how-to-create-achievable-goals-for-your-mental-wellness-0822164

Mark, T. (2016). 3 Técnicas de TCC que Calman Instantáneamente la Ansiedad: herramientas cognitivo-conductuales que cualquiera puede usar. Obtenido de https://www.unk.com/blog/3-instantly-calming-cbt-techniques-for-anxiety/

Chris, C. Tratamiento de la Depresión con Terapia Cognitivo-Conductual. Obtenido de https://journeypureriver.com/treating-depression-cognitive-behavioral-therapy/

3 consejos de TCC para ayudar a superar el estrés laboral. Obtenido de https://www.efficacy.org.uk/blog/corporate-wellbeing/3-cbt-tips-to-help-overcome-workplace-stress/

Sheri, J. (2014). TCC vs. TCBAP - ¿Cuál es la Diferencia? Obtenido de https://www.harleytherapy.co.uk/counselling/cbt-mbct-difference.htm

Courtney, E. (2019). ¿Qué son los pensamientos intrusivos en el TOC y cómo deshacerse de ellos? Obtenido de https://positivepsychology.com/intrusive- Thoughts/

Kimberly, H, y revisado médicamente por Timothy JL (2019). Pensamientos Intrusivos: Por Qué los Tenemos y Cómo Detenerlos. Obtenido de https://www.healthline.com/health/mental-health/intrusive-Thoughts#causes

Atención Plena Animado en 3 minutos. Obtenido de AnimateEducate. https://www.youtube.com/watch?v=mjtfyuTTQFY

Katharina, S, y revisado médicamente por Steven, G. (2019). Utilice la meditación de atención plena para aliviar la ansiedad. Obtenido de https://www.verywellmind.com/mindfulness-meditation-exercise-for-anxiety-2584081

Ana, G y col. (2018). 11 formas de detener un ataque de pánico. Obtenido de https://www.healthline.com/health/how-to-stop-a-panic-attack#recognize-panic-attack

Televisión sin pánico. Meditación para los ataques de pánico: ¿funciona la atención plena? Obtenido de https://www.youtube.com/watch?v=_EbqcVH9eVg

Síntomas de un ataque de pánico. Obtenido de Anxiety and Depression Association of America. https://adaa.org/understanding-anxiety/panic-disorder-agoraphobia/symptoms

Cómo prevenir una recaída. Obtenido de Ansiedad Canadá.

Regina, BW (2016). 7 factores que pueden desencadenar una recaída de la depresión Obtenido de https://www.everydayhealth.com/hs/major-depression-health-well-being/factors-can-trigger-depression-relapse/

Timothy, J. (2019). ¿Cuáles son las primeras señales de una recaída de la depresión? Obtenido de https://www.medicalnewstoday.com/articles/320269.php

9 781954 029149